JN082938

Mai Sugimoto's Patent Wars
杉本麻衣のパテント・ウォーズ
ロボジョ!
稲穂健市
ROBOJO!
Mai Sugimoto's
Patent Wars
Kenichi Inaho
楽工社

目次

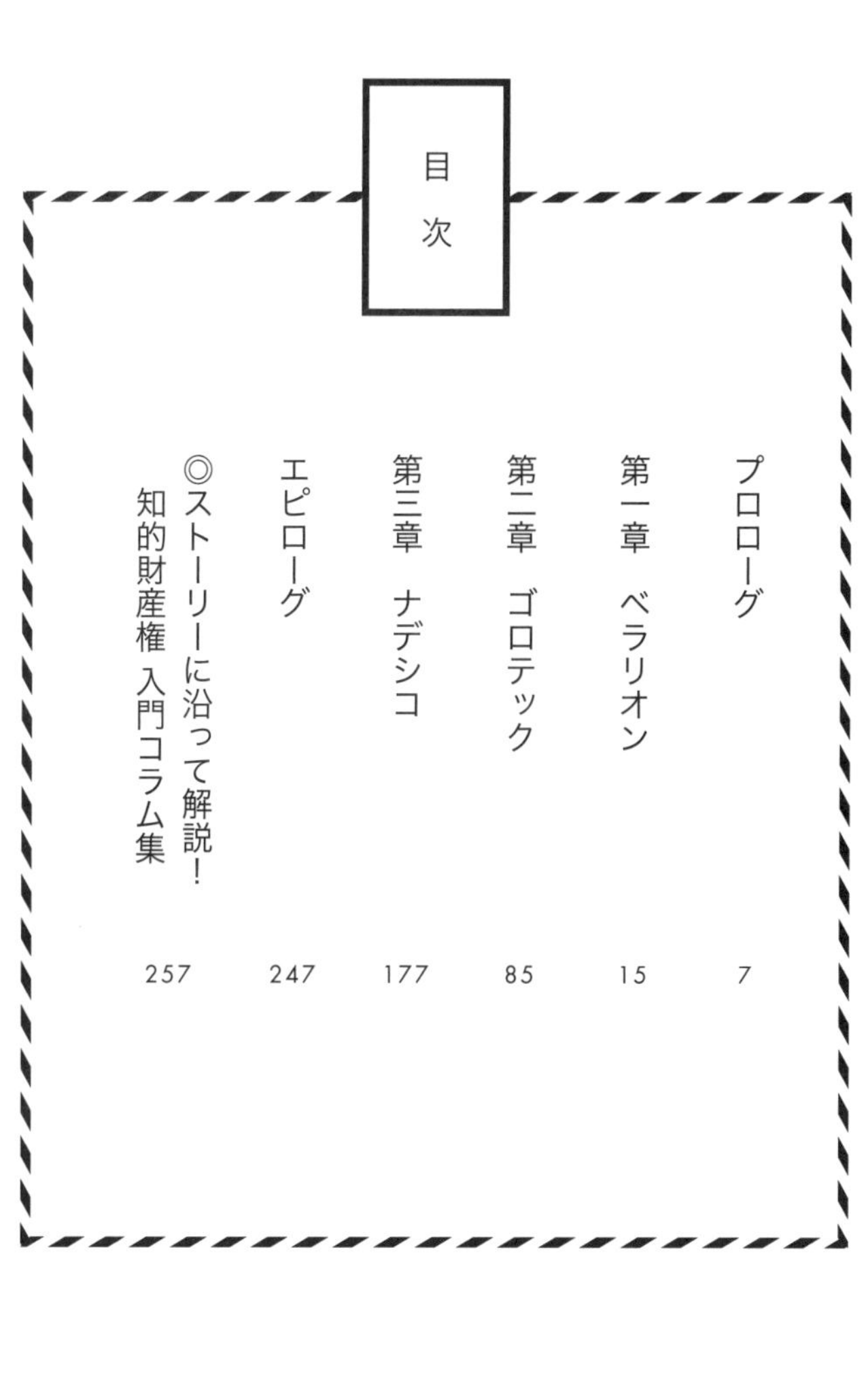

登場人物

杉本麻衣(まい)　横山(よこやま)大学の二年生。ロボ研の会長。
三島裕(ゆう)　横山大学の二年生。ロボ研メンバー。
八木百合(ゆり)　横山大学の一年生。ロボ研メンバー。パテカフェの店員。
池田次郎　横山大学の二年生。ガンラボの社長。ロボ研メンバーを兼務。
本多義男　ガンラボの技術者。ロボ研メンバーを兼務。
鈴木幸太郎(こうたろう)　弁理士。知財事務所とパテカフェを経営。
池田佐和子　次郎の妹。短大の一年生。ガンラボの事務員。
杉本玲(れい)　麻衣の姉。美大出身。パテカフェの店長。
豊田(とよだ)カリン　パテカフェの常連客。
御木本喜太郎(みきもときたろう)　帝都大学の一年生。個人発明家。
丹羽直人(にわなおと)　慶明(けいめい)大学の二年生。ゴロテックの専務。
高峰春子　タカミネの社長。
渋沢信之(しぶさわのぶゆき)　タカミネの技術部長。
伏見(ふしみ)栄一　タカミネの知財室長。

周龍徳（しゅうりゅうとく）　大王飯店のオーナー。

黄金仮面（おうごんかめん）　不審な動きをする仮面の怪人物。

主要メカ・技術

楽天則（らくてんそく）　ロボ研が開発した、学天則（がくてんそく）を模した人型ロボット。

ベラリオン　ロボ研が開発した、ライオン型ロボット。

RIKO（リコ）　ロボ研が開発した、食材認識技術。

STEP（ステップ）　ロボ研が開発した、ロボットの腕と手の駆動技術。

PPA（ピーピーエー）　ロボ研が開発した、自動調理器による調理の前後工程の自動化技術。

フルクック　タカミネ製の自動調理器。

クックコック　ゴロテック製の自動調理器。

GRS（ジーアールエス）　ゴロテックが開発したとされる食材認識技術。

ナデシコ　ハウゼンが開発した配膳ロボット。

アグネス　大王飯店に納品された御木本喜太郎のロボット。

プロローグ

「うー、なんて寒さだ」

ボクは大きく身震いした。

日も落ちて辺りは暗い。十二月に入り、凍（こご）えるような寒さだ。すでに気温は零度近くまで下がっている。口から吐く息が白くなっていた。

「裕（ゆう）、男の子なんだから、我慢なさい」

隣にいる杉本麻衣（まい）が、我が子を諭（さと）すように言った。その長い黒髪が風に揺れている。

ボクも麻衣も、グレーの作業服と、紺色のガテン系ジャンパーという出で立ちだ。安物であるためか保温効果はほとんどない。平気そうな顔をしている麻衣も小刻みに震えている。

ここは、東海道新幹線の線路沿いにある小高い丘の上だ。線路の高架と同じくらいの高さである。新横浜駅を発着する新幹線が次々に往来するのが見える。車内はとても暖かそうだ。

線路の北側は再開発によって賑わいを見せているが、こちら南側は特に区画整理もされず、住宅や田畑が点在している。ボクたちのいる位置から新幹線の高架の反対側を見下ろすと、狭い路地があり、古ぼけた街灯がその路地沿いにある小さな倉庫を照らしている。

しばらくすると、草を踏みながら歩く音が聞こえてきた。

「いやあ、待たせてしもうたなあ」

近づいてきたのは、ボサボサ頭の髭づら男、池田次郎だった。黒いふかふかのコートと分厚いマフラーで、完璧な防寒対策をとっている。

「ようやく主人公の登場ね。本当にあの倉庫の中なの?」

麻衣が倉庫に目をやりながら次郎に尋ねた。

「ああ、そこで間違いない」

次郎は自信満々な表情でボクと麻衣の顔を見ると、右手に持つスマートフォンをこちらに差し出した。

「スマホで位置がわかるってこと?」

ボクが尋ねると、次郎は大きくうなずいた。

「裕、そのとおりや。GPS発信機の信号は数時間前に、その中で止まったままや」

次郎が倉庫を見下ろしながら答えた。次郎のスマートフォンの画面を覗くと、そこには地図が表示されており、その中央付近で青い丸印が点滅している。丸印はたしかにその倉庫を示していた。

　麻衣がブルブルと大きく身震いをしてから言った。

「私と裕がここに来てから、もう一時間は過ぎているわ。中に入ってみましょう」

　ボクたち三人は草木が生い茂った斜面を注意深く下りていった。辺りが暗いので非常に歩きにくい。五分くらいかけて、ようやく倉庫裏側の壁に達した。

　目の前の倉庫は想像していた以上に奥行きがある。その端には非常口と思(おぼ)しき小さな扉がついていた。

　麻衣はその取っ手をぐるりと回した。カギはかかっておらず、あっけなく扉は開いた。彼女はジャンパーの胸ポケットからペン型の懐中電灯を取り出すと、ボクと次郎を手招きして、通路をまっすぐ歩きはじめた。

　少しずつ目が慣れてきた。通路の床はかなり埃(ほこり)を被(かぶ)っているようだ。もしかすると、この倉庫は普段は使われていないのかもしれない。

　しばらく進むと別の扉があった。先ほどと同じように麻衣が取っ手を回す。この扉にもカギはかかっていないようだ。随分と甘いセキュリティである。

　麻衣が扉を押し開けると、ギギーッという音が周囲にこだました。暗くて前方はよく見えないが、音の響き方から察するに、大きな空間が広がっているようだった。

　麻衣が懐中電灯で正面を照らすと、後ろ向きに停(と)まっているトラックが目に入った。荷台には何もない。麻衣が左側に懐中電灯の向きを変えると、明らかに人の身長よりも高い大きな物体が照らし出された。一見して人間の上半身のように見える。荷台から降ろされたものだろう。

目を凝らしていた次郎が大声で叫んだ。

「間違いない、ついに見つけたで！」

突如、その物体とトラックとの間に人影らしきものが見えた。麻衣が懐中電灯を向けると、その顔が照らし出された。金色をした「笑い顔」がこちらを向いていた。能面のような細い目をしており、三日月型の口が横に広がっていて、それは耳まで裂けている。気味の悪い顔つきをした仮面だった。

麻衣は大声で叫んだ。

「だ、誰？」

すると、仮面の人物は左側の壁に向かって走りはじめた。その人物が壁面に到達すると、突然、天井の蛍光灯が点灯し、辺りが一気に明るくなった。仮面の人物を見ると、壁面に設置されたスイッチに手を伸ばしている。自ら蛍光灯を点(つ)けたのだ。顔だけではなく、全身が金色だが、頭に被(かぶ)ったハットと、背中に羽織ったマントは黒色をしていた。昭和時代の小説に出てくる怪人のような出で立ちで、一瞬、その時代にタイムスリップしたかのような感覚に襲われた。

トラックの横の物体は、蛍光灯の光を浴び、その全容が露(あら)わになっていた。それは人型で椅子に腰かけた姿勢をしており、仮面の人物と同様に、全身が金色だった。

次郎はその金色の物体に向かって叫んだ。

「楽天則(らくてんそく)、大丈夫かいな？」

それがこの物体の名前である。一九二八年に発明家・西村真琴(まこと)氏が開発した東洋初の人型ロボット・学天則(がくてんそく)を模したものだ。名前が微妙に違うのは、似て非なるものであるためだが、基本的なデザインはほとんど同じだ。頭には緑葉(りょくよう)の冠(かんむり)を被り、人なつっこい大きな目をしている。そして、左手に懐中電灯のようなライト、右手に鏑矢型(かぶらやがた)のペンを握っており、紙を差し出せば今にも文字を書き出しそうな姿勢をしていた。

突然、仮面の人物がこちらに向かって歩いてきた。一気に緊張が走る。

「あらやだ。裕、あなた何か武器を持ってる？」

麻衣が心配そうに尋ねてきたが、そんなものあるわけないだろ。

仮面の人物は、いきなりその場で飛び跳ねると、トラックの荷台に乗り、さらに運転席上のルーフに向かって大きくジャンプした。すさまじい跳躍力だ。マントを翻(ひるがえ)しながら着地し、その左腕を真横に伸ばしてマントを大きく広げると、こちらを見下ろしてから口を開いた。

「どちら様かな？」

とても低い男性の声だった。

「はあん？　何言っとんねん！　楽天則の持ち主や。勝手に盗みおって」

次郎が憤った様子で答えた。

「盗んだのではなく、ちょっと調べさせてもらっていたのだよ。残念ながら故障しているようだがね……」

仮面の人物はいたって冷静だ。

「はあん？　故障なんかしとらんわ。楽天則は悪人の命令は聞かんようにできとるだけや。ちゃんと動くことを今から証明したるわ」

次郎は仮面の人物を睨みつけながら、ロボットの正面に向かって駆け出した。

「楽天則、起動！」

ロボットの前で次郎が両腕を大きく上げると、その両目が青白く光り、モーター音が聞こえはじめた。次に、次郎が左腕を下ろし、右腕を上げたまま、その人さし指で大きく円を描くと、ロボットはその場で椅子ごと百八十度回転し、倉庫の正面を向いた。

突然の動きに驚いたのか、仮面の人物はトラックのルーフから床へと飛び降りた。

次郎が倉庫の入口へと走り、扉の開閉ボタンを押すと、シャッターが上がりはじめた。

「こっちこいや、楽天則！」

ロボットは、倉庫の入口で手招きする次郎に向かって動きはじめた。椅子の底部に取り付けられた無限軌道を動かしながら、ゆっくりと前方へと進んでいく。

「なんということだ。故障していたわけではなかったのか！」

　仮面の人物が動揺しているのは明らかだった。

「驚いたか！　楽天則は正義の味方の言うことしか聞かんのや！　うはははは」

　ロボットが倉庫の入口を出たところで、次郎はその膝の上に飛び乗り、そのままそこに腰かけた。ロボットは直進し続けると、前方を走る道路に達した。そこで次郎が自身の右腕を大きく横に開くと、それに応じるようにその場で九十度右に曲がった。その後は加速しながら新横浜駅方向へと進んでいった。

　横にいる麻衣を見ると、一一〇番通報している。仮面の人物はこちらを一瞥した後、倉庫の入口から外に駆け出すと、楽天則とは反対側の左側へと曲がり、雑草の生い茂る林の中へと入っていった。このまま姿を消すつもりだ。警察が駆けつけても奴を取り押さえるのは難しいだろう。

　この事件がこれから巻き起こる激しく奇妙な戦いの序章になろうとは、このときは考えもしなかった。

第一章　ベラリオン

1

「お昼時だからかな。意外と混んでるね」

ボクと麻衣は、パシフィコ横浜の展示ホールにいた。

海に近いことから外は冷たい潮風が吹きつけているが、屋内は暖かい。展示会場のゲートをくぐると、お菓子やオモチャなどのレトロな展示物が目に飛び込んできた。明治から昭和にかけての復刻品やそれを現代風にアレンジしたものを展示する「第一回名品復活展」が今日から三日間にわたって開催されているのだ。

比較的サイズの小さな展示物が多い中、ひときわ目を引くのが高さ二メートルの楽天則(らくてんそく)だ。会場の一番奥に位置しているものの、その頭部はひとつ抜きん出ている。

楽天則のモデルとなった学天則(がくてんそく)は、これよりも一回り大きく、高さは約三・五メートルもあった。朝鮮半島を含む当時の日本各地の博覧会に出品され、売却されてドイツに渡った後、行方不明になったという。二〇〇八年に大阪市立科学館が当時の写真や文献を手掛かりに製作した実物大の復元品は存在する。

　名前が異なることからもわかるように、楽天則は厳密な意味での復元品ではなく、ハイテク技術を駆使した様々な機能が組み込まれている。昨日仮面の人物と対峙した際に見せた、操作者のジェスチャーだけで自在に向きを変える機能はそのひとつだ。

　ボクたちは会場の人ごみを抜け、ようやく楽天則の展示ブースの前の休憩エリアに到達した。そこで一息ついていると、黒いスーツ姿のスレンダーな女性が近づいてきた。さっぱりとしたショートカットと大きな潤んだ瞳が印象的だ。次郎の妹の池田佐和子である。

　ボクや麻衣よりも一学年下だが、独特の落ち着いた雰囲気からむしろ年上に見える。麻衣とは同じ高校の先輩と後輩の関係だという。

「無事に楽天則が戻ってきて本当によかったです。さすがは麻衣さんですね」

　大きな瞳を潤ませながら佐和子が言った。中学を卒業するまで関西に住んでいたというが、次郎と違って、ほぼ完璧な標準語を話す。

　麻衣は困惑した表情で答えた。

「そう言われると、こっちが恥ずかしいな。私は次郎からの指示どおり、裕と一緒に一足早く現場に向かっただけ。結局、操作をして脱出させたのも次郎だし……」

「今朝聞いたら、楽天則の目に内蔵したカメラに顔認識機能を付けていたって……。お兄ちゃん以外の人は操作できない仕掛けにしていたみたいです」

そう。その程度のカラクリなのだ。

その場で話し込んでいると、佐和子と同じ黒いスーツを着込んだ次郎が右手を上げてこちらに近づいてきた。普段はラフな格好だが、意外にも正装が似合っている。

「おっ、ふたりとも来たな。なんや、今日もいつもの格好かいな。身長も同じくらいやから、まるできょうだいみたいやな」

ボクと麻衣は昨日と同じく、グレーの作業服を着ていた。

麻衣の作業服の胸ポケットからは、小さなフィギュアが上半身を覗かせている。東北地方の郷土食「ずんだ餅」をモチーフとした少年のキャラクター「奥羽ずん太」の二頭身バージョンだ。その髪や和風の着物は枝豆を意識した緑色で、枝豆を模したヘアバンドを頭に巻いている。にゃんこのように両手を前側に出しており、ちょうど服の胸ポケットに引っ掛けることができるようになっていた。

その胸ポケットの上には「杉本製作所」という文字が刺繍されている。もともとは麻衣のおじいさんが経営していた町工場、杉本製作所の作業服だったからだ。同社がビジネスを畳んだ現在、この作業服は事実上、横山大学「ロボット研究会」、通称「ロボ研」のユニフォームとなっている。ロボ研は、麻衣が大学入学直後に自ら立ち上げたサークルだ。

　ボクは不覚にも、二番目のロボ研メンバーとなってしまった。麻衣の色香に惑わされたというのがその理由だが、必要に応じて彼女には様々なアドバイスをしている。今日も、作業服のままここに来ることにボクは反対した。だが、麻衣が「全然問題ないわ」と言って譲らなかったのだ。年頃の乙女がこんなことでいいのだろうか？

「学天則の復刻とは、いいアイデアね。ロボ研の展示ブース、かなり目立っているわ」

　麻衣がそう言うと、次郎は嬉しそうな顔で答えた。

「そうやろ、そうやろ」

　次郎もロボ研メンバーのひとりだ。今回、ロボ研で楽天則を展示することになり、次郎を中心にその準備が進められたのである。

「ところで、どうして楽天則という名前にしたの？」

「ああ、楽しげな機能を満載しとるし、例のネット通販会社が興味を持つかもしれんと思ってなあ」

「なるほど。色々と考えているのね」

「午後一時からデモをやるから、おまえらもよく見ておけ」

「楽しみだわ。ところであの仮面の人物、どこかで見たことがあると思って調べてみたら、昭和の推理作家、江戸川乱歩の小説に登場する『黄金仮面』よ。令和の時代にあんな姿で現れるなんて」

「黄金仮面やて？　そんなキャラ、知らんかったわ」

「警察の人に聞いたんだけど、結局、黄金仮面を捕まえることはできなかったそうよ。それと、新横浜の倉庫は倒産した会社の所有で、やっぱり普段は使われていないみたい。楽天則を運んだトラックは盗難車ですって。あとね、楽天則を公道で走らせたのはマズかったかも……。今回はお咎めなしだったけど、本当は道路交通法違反になるそうよ」

「おまわりはうるさいのお。それにしても、パシフィコの警備員にも困ったもんやな。関係者を名乗ってあの格好で楽天則を会場から運び出したのを、全然怪しいと思わなかったというんやもんな。洒落でコスプレをしてるとマジで思ったらしいで」

「でも、黄金仮面そのものが復刻品みたいなものだし、関係者にしか配られない入構証を持っていたそうよ。翌日からの展示に備えて置いてあった楽天則を修理という名目で持ち出したというし、怪しいと思わなかったのも無理もないわ」

「まあ、そうやな。結果オーライや」


午後一時が近づいてきた。楽天則を見ると、巨大な角ばった机の後ろ側で椅子に腰かける姿勢をしていた。その机の前面には「楽天則」という大きな文字が見える、それは戦前の表記法に従って右から左に向けて書かれていた。

じつは、楽天則はロボ研が初めてクラウドファンディングで製作したロボットである。

想像以上にお金が集まり、その外観はオリジナルの学天則を洗練させたハイレベルなものとなった。

クラウドファンディングが成功したのは、次郎に「発明家ユーチューバー」として活動してもらった影響が大きい。技術の「チラ見せ」で世間の興味を引き、クラウドファンディングのウェブサイトのアクセス増につなげたのだ。

楽天則から少し距離を開けて停止線のロープが張られ、それに沿うように溢（あふ）れんばかりの人だかりができていた。展示会の直前、次郎は楽天則の機能を紹介する動画を投稿していた。集まっている人の多くはその動画を見たのかもしれない。

最前列の中央には、ブカブカの吊（つ）りズボンを穿（は）いた巨漢が陣取っていた。額に赤いハチマキを巻いており、佐和子がマイクを持って壇上に現れると、彼女を目で追いはじめた。

「みなさん、お待たせしました。ただいまから実演を開始します」

マイクを握った佐和子がアナウンスすると、楽天則の前方に次郎が颯爽（さっそう）と現れた。次郎は右手で赤いリンゴを握ると、「ダー！」と雄叫（おたけ）びをあげながら、その拳（こぶし）を楽天則の左手にあるライトに向けて突き出した。

そのライトの上のへこみに赤いリンゴが載せられると、突然、楽天則の上部に付属している機械仕掛けの鳥が鳴きだした。鳥のさえずりに反応して楽天則は首を左右に動かし、両目を閉じて瞑想したかと思うと、ひらめきを得たかのように両目をカッと見開いた。そして、ペンを握ったまま右腕を時計回りにぐるぐると大きく回した後、机の上に置かれた紙に向かってペンを動かしはじめた。高速で何かを描き出しているようだ。

ペンの動きが止まると、次郎は楽天則が書き込みをした紙を広げて観客に見せた。

そこには次郎が示したリンゴのイラストが描かれており、その下には「つがる」という文字が書かれていた。「つがる」とはリンゴの品種のひとつだ。楽天則は、ペンを使って目の前のリンゴの精巧なイラストを描くだけでなく、その品種を正しく当てたのだ。周囲から拍手が湧き起こった。

次郎は再び楽天則の前に立つと、次は青いリンゴを示した。すると、楽天則はまたもや、そのイラストを描画するだけではなく、その品種「王林」も的中させた。続いて次郎はリンゴ以外の食材を出していった。各種の魚やキノコなど、見ただけでは判別しにくい食材も次々に出されたが、楽天則はそのすべてを正確に答えた。

「おおー！」

そのたびごとに観客からはどよめきが起こった。

実演が終了し、次郎がお辞儀をすると、周囲からは歓声と拍手が湧き起こった。

ボクは次郎に近づき、率直な感想を伝えた。

「すごい盛り上がりだったよ。みんなの目が釘付けになっていた。『RIKO』と『STEP』もかなりの完成度になってきたね」

「ＲＩＫＯ」とは、視覚センサーからのデータに、重量センサーや触覚センサーなど他のセンサーからのデータを組み合わせることで、高精度で食材を認識する技術のことだ。今回の実演では、楽天則の両目に視覚センサー、左手のライトに他のセンサーを取り付け、それらを用いて食材の種類を正しく当てた。じつは、ＲＩＫＯはそれだけではなく、さらに、食材の鮮度、等級、カロリー量などの様々な情報を推定することもできる。

「ＳＴＥＰ」とは、複数のアクチュエーター、つまり駆動機構と、各種のセンサーとを絶妙に連動させることで、ロボットの腕と手を大胆かつ繊細に駆動させる技術のことだ。今回の実演では、楽天則は腕を大きく回した後、ペンを使って精巧なイラストを描き出した。

もっとも、これはＳＴＥＰの機能の一端にすぎない。かかる重量に応じて駆動部分が適切に切り換わる構造となっていることから、ペンのような軽いものだけではなく、数十キロクラムの重いものでも取り扱うことができる点も大きな特徴となっている。

麻衣が目を輝かせながら、次郎に話しかけた。

「ＲＩＫＯとＳＴＥＰがあれば、『お手伝いロボット選手権』の二連覇も夢じゃないわね……」

お手伝いロボット選手権とは、昨年からはじまった「お仕事系」ロボットのパフォーマンスを競う大会のことだ。毎年一月中旬の開催で、今年の第二回大会は仙台で開かれることになっていた。

何を隠そう、横山大学ロボ研は、昨年名古屋で開かれた第一回大会の優勝者だ。我らロボ研は、自動調理器による調理の前後工程を自動化したコンパクトな拡張ユニットを製作し、それを実演したのである。人型ロボットではない地味なものであったにもかかわらず、これが高く評価され、優勝を果たすことができた。

二年連続の優勝を狙う麻衣は、第二回大会の出し物を「食材移動ロボット」に決めた。具体的には、冷蔵庫から適切な食材を探し出し、それらを自動調理器に運んで投入するというロボットだ。これを実現するため、ロボ研では高精度で食材を認識する「ＲＩＫＯ」と、ロボットの腕と手を大胆かつ繊細に動かす「ＳＴＥＰ」を開発してきたのである。

このように、これらふたつの技術は、食材移動ロボットへの搭載を前提としたものだ。だが、急きょ、今回の名品復活展への参加が決まったことから、未完成ながらも先に楽天則に実装し、続いて完成したものを食材移動ロボットに実装する流れとなったのである。

ブースに目をやると佐和子が熱心に接客をしている。その様子を見た麻衣は急に冷静な表情になって次郎に言った。

「ところで、さっきから気になっていたんだけど、佐和子ちゃんはロボ研のメンバーじゃないんだから、こんなところで働かせたら駄目じゃない」

次郎が困ったような表情で答えた。

「そう言われてもなあ……。本人が手伝いたいと言うんやから、仕方ないやろ」

続いて麻衣は周囲を見回し、やや不安そうな面持ちで尋ねた。

「ところで、義男君は来てないの?」

義男とは、今回の展示会に向けて次郎と一緒に準備をしていたロボ研メンバーである。

「ああ、展示会はわしの担当やから」

「それじゃ駄目よ。次郎がひとりですべてを作ったわけじゃないでしょう?」

「別にええやん。あいつは口下手やから、観客にウケるように話すことができへんし」

「そんなこと言ってはいけないわ。楽天則にGPS発信機を付けてくれたのも義男君なんだし、彼がいたからこそ楽天則も帰ってきたのよ。きちんと感謝しないと」

麻衣は保護者のような話し方で次郎を諭した。

2

川沿いに広がる公園の周囲には、お洒落な超高層マンションが林立している。ここは、横浜駅の東側に位置する再開発エリア「ポートサイド地区」だ。ボクはふたりの女性と、ポートサイド公園の横にある遊歩道を歩いていた。

今日の麻衣は白いコート姿だ。白は彼女の清楚な雰囲気にピッタリの色だし、やはりグレーの作業服よりもこちらの方が遥かに似合っている。もっとも、胸ポケットに入った奥羽ずん太のフィギュアだけは、やはり違和感がある。麻衣がいつもお守りのように肌身離さず持ち歩いているので仕方がないのだが……。

麻衣は、横山大学工学部機械工学科の二年生。ロボ研を立ち上げる前から様々なロボットを製作してきたことで知られ、大学では「ロボジョ」と呼ばれる有名人だ。ロボ研では、メカの全体設計と様々な企画の統括を担当している。

ロボット作りに熱を入れているのは、生まれ育った環境の影響が大きいようだ。麻衣のおじいさんは横浜・鶴見に杉本製作所を立ち上げて以降、様々なロボットの製作に励んでいた。父親が早くに他界したこともあり、麻衣は幼少の頃から、ずっとおじいさんの手伝いをしてきたそうだ。まさに生まれながらの「ロボジョ」と言っても過言ではない。

その麻衣と談笑しながら歩いている小柄な女性についても紹介しておこう。ショートボブの茶髪に、大きな縁なしメガネをかけ、ゴシックロリータ系の服を着ている。一見すると中学生か高校生のようだが、れっきとした大学生である。横山大学文学部国文学科一年生の八木百合だ。

彼女もロボ研メンバーのひとりである。もともとは完全な文系女子だが、大学入学後に、なぜかプログラミングの勉強をはじめた。初心者レベルのため、百合をロボ研に入れることにボクは反対したのだが、その企画力、文章作成力、ストーリー構成力に注目した麻衣が引き入れた。次郎を「発明家ユーチューバー」にするというのは百合のアイデアである。彼女の参加が実際に成果に結びついている。麻衣の直感も侮(あなど)れない。

ここでボク自身、三島裕(ゆう)についても触れておこう。横山大学工学部電気工学科の二年生で、ロボ研では電気回路の設計と制御プログラムの作成を担当している。首都圏出身の学生が多い中、実家は浜松にある。大学の徒歩圏にある狭小なワンルームマンションで一人暮らしをしているため、日時を問わず麻衣から雑用が降ってくる。

麻衣と恋人として付き合っていると勘違いしている人も少なくないが、残念ながらそのような関係ではない。彼女への思いは募(つの)るばかりだが、一歩前に踏み出す勇気が出てこない。現状で満足しているという時点でヘタレ男ということか……。

ポートサイド公園を過ぎたところで、白と黒の積み木を重ねたような三階建てのビルが目に飛び込んできた。「株式会社ガンラボ」の社屋である。

ガンラボとは、高校時代からエジソンのような一流の発明家を目指していた次郎が、大学入学直後に立ち上げたスタートアップ企業だ。主にロボットの製造技術を強みとしている。実質的な従業員は、ロボ研メンバーでもある技術者の次郎と義男、短大の一年生で事務員をしている次郎の妹の佐和子の、計三名である。

次郎と義男のふたりは、麻衣が自らスカウトした。

「ＲＩＫＯ」と「ＳＴＥＰ」の開発に行き詰まった麻衣が、優れた技術を持つと噂されるガンラボの話を聞きつけたのがきっかけだ。それまでのロボ研は人材不足にあえいでいた。昨年いたロボ研の有力メンバーが仮面浪人後に帝都大学に合格して抜けてしまった影響が特に大きかった。その後は、麻衣、ボク、百合の三名の専属メンバーでやり繰りしていた。そこに次郎、義男の二名が兼任メンバーとして参加したことで、ロボ研メンバーは計五名となったのである。

　麻衣の目論見（もくろみ）どおり、次郎と義男が加わったことで、技術開発は大きく前進した。今日の集合場所がガンラボとなったのは、食材移動ロボットへの実装の最終作業を次郎と義男にまかせていたためである。

　ここに来るのは三度目だが、不思議なビルの形状は何度見ても気になってしまう。以前、とあるスタートアップ企業が入居していたというが、様々な不祥事に見舞われた挙句に倒産し、家主が次の入居者を探していたところ、ガンラボが入ることになったという。ちなみに、次郎と佐和子のきょうだいはこのビルの三階にふたりで住んでいる。

「では、押しますよお」

　そう言いながら百合がインターホンを押すと、内側から扉が開き、姿を現した佐和子が笑顔で出迎えた。

「あら、百合ちゃん、ひさしぶりー！　それに麻衣さん、裕さん、お待ちしていましたよ」

「おじゃましまーす！」

ボクたちがその場で一礼すると、佐和子は入口近くにある「応接室」へと案内してくれた。「応接室」といっても非常に狭く、三畳くらいの部屋にソファを無理やり詰め込んだ感じである。この人数でもかなりの窮屈さだ。

佐和子が申し訳なさそうに言った。

「じつは、お兄ちゃん、まだ帰ってきてないんです。もうすぐ戻ってくるみたいですけど」

壁にはたくさんの賞状が飾られている。ガンラボが各種の技術コンテストで入賞したときのものだ。次郎が得意とするのは、製造工程などにおけるきめ細かな制御技術であり、起業後は、それに義男のＡＩ技術を組み合わせることで、制御の高速化や高精度化を図ってきた。ガンラボはふたりの二人三脚で成り立っている会社なのだ。

自社製ロボットの製作もしているが、主な事業として、大手の電機メーカーをはじめ様々な会社から委託を受け、ユニットの試作を請け負っている。次郎曰く、特殊なノウハウを使って複雑なものでも正確かつ短期間で完成させてしまうそうだ。

佐和子がこちらを見回しながら言った。

「あらあら忘れてた。お茶を入れてきますね」

そう言って応接室を出ようとすると、ピンポーンとインターホンが鳴った。ボクたちに続く訪問者が来たようだ。

「あら、お客さんだわ。ちょっと待っててくださいね」

佐和子は駆け足で玄関へと向かった。ボクはトイレに行きたかったので、それを理由に応接室を出て、廊下を歩いていた。

「こんなところにまで来てもらっては困ります」

玄関から佐和子の声が聞こえてきた。

「今日は社長とビジネス交渉するために来たんです。何がいけないっていうんですか?」

甲高い男性の声も聞こえてきた。

ボクが玄関へと向かうと、入口には、ブカブカの吊りズボンを穿いた巨漢が立っていた。その額には赤いハチマキが巻かれている。先日パシフィコ横浜で行われた楽天則の実演の際に最前列に陣取っていた男だ。

「兄は不在ですので、またおいでください」

佐和子は入口の扉を押し、その男を強引に外に出すと扉を閉めた。佐和子はその場でこちらを振り返った。その大きな瞳に涙が浮かんでいる。

「あの男、いったい何者なの?」

ボクが尋ねると、佐和子は説明をはじめた。

「ボランティア活動で知り合った方です。付き合ってほしいと何度もお願いされたんですけど、先日、はっきりとお断りの返事をしたんです。それなのに、展示会場に現れたばかりか、ここまでやってくるなんて……」

佐和子は困惑した表情をしている。

「まるでストーカーみたいだね。でも、ビジネス交渉とか言っていたから、別の用件かもしれないよ。また来るかもしれないねえ」

「こ、こわいです。裕さん、助けてください」

佐和子はいきなり抱きついてきた。恥ずかしくて顔が赤くなる。

すると、いきなり入口の扉が開いた。驚いてそちらに視線を移すと、ポカンとした表情で次郎が立っていた。

「こんなところで何しとんねん？　そもそも、おまえら、そういう関係やったっけ？」

ボクが慌てて答えた。

「ち、違う。完全に誤解だ。さっき変な男が来て佐和子さんが怯えていて。だから、これは……」

次郎がニヤニヤしながら答えた。

「変な男というのは、こいつ、御木本喜太郎のことか？」

そう言いながら外に向かって手招きすると、先ほどの男が申し訳なさそうな表情をしながら中に入ってきた。

佐和子は大きな目をさらに丸くして泣きそうな顔になっている。

「アカン……。わ、私はお客様にお茶を入れないと……」

そう言うと、駆け出して逃げていった。普段封印している関西弁まで口走るとは、そんなにこの男が嫌いなのか？

結局、次郎の判断で、喜太郎も応接室に通すことになった。次郎は喜太郎に秘密保持契約[*1]の署名をさせていた。応接室に秘密情報なんてないだろうし、随分と神経質な対応だ。結局、喜太郎が用件を終えて帰った後で、ロボ研メンバーによる食材移動ロボットの動作確認をすることになった。

応接室のソファに巨漢の喜太郎が座ったことで、ますます窮屈になった。隣にいる麻衣との密着感も半端なものではない。これはこれで嬉しくはあるのだが……。

そこに、次郎と佐和子が現れた。佐和子はお盆を持っており、その上にはお茶が入った湯飲み茶碗が載っている。狭い場所で歩きにくそうにしつつも、ひとりひとりに湯飲み茶碗を手渡していった。さすがに喜太郎とは目を合わさなかった。

＊1　秘密保持契約　営業秘密や個人情報など業務に関連して知った秘密を第三者に開示しないとする契約のこと。機密保持契約、守秘義務契約ともいう。NDA（Non-Disclosure Agreement）という言葉を実務ではよく使う。

部屋の中央に立っていた次郎が喜太郎に尋ねた。

「まず、喜太郎の用件から聞かせてくれんか?」

不思議そうな顔をしながら麻衣が尋ねた。

「次郎は、この喜太郎さんと知り合いなの? どういった関係なのかしら?」

次郎が頭を掻きながら答えた。

「すまん。説明しておらんかったな。『横浜ロボット研究会』の会合で知り合ったんよ。ボランティア活動で佐和子と親しくしとるって、喜太郎の方から話しかけてきたんや。たしか帝都大学の一年生やったな。横山大学よりも偏差値が高いところやし、侮れん」

佐和子は無言で下を向いている。彼女は中学生のときから陸上競技の選手をしていたが、高校時代に挫折し、その後はボランティア活動に熱を入れているという。同じ高校の先輩にあたる麻衣から聞いた話である。

ここで口を開いたのは喜太郎だった。

「はい。私もロボットを作っておりまして、横浜では一目置かれている次郎社長にお声がけしたんです。色々と勉強させてもらっています。偏差値なんて関係ありません」

百合が縁なしメガネの位置を調整しながら質問した。

「喜太郎さんは、どういったロボットを作られているんですかあ?」

「料理、掃除、洗濯など、あらゆる家事を全部やってくれる『専業主婦ロボット』です」

喜太郎は胸を張って答えた。

「せ、専業主婦、ですか……」

百合は急に黙り込んでしまった。

それにしても、今どきどういうネーミングセンスをしているんだ？　それを言うなら「家事支援ロボット」だろう。

しばらく沈黙が続いた後、次郎が口を開いた。

「そんで、ビジネス交渉したいとかいう話やったけど、どういった取引がしたいんや？」

喜太郎は唾（つば）を飲み込んでから答えた。

「はい。その私のロボットの料理機能を楽天則に取り入れるご提案となります。楽天則はペンを使って色々と書き出す機能はありますが、他の出力方法はありません。机の上にキッチン用品一式を置き、楽天則に包丁を握らせたり、鍋を動かしたりさせるのです」

次郎はうなずきながら答えた。

「なるほど。おもろいと思うけど、改造が結構大変やで。そもそも楽天則はロボ研のプロモーション用に作ったロボットで、ガンラボで活用することは想定しておらん。そやから、これ以上金のかかることはしたくないんよ。かなりの金額になるやろうから、クラウドファンディングだけでは苦しいと思うで。それに、楽天則が料理するってのも、方向性が違うと思うわ」

喜太郎は残念そうに答えた。

「それは残念です。では、他を当たってみることにします」

次郎が喜太郎を玄関まで送ることになった。喜太郎がいなくなったことで、応接室のスペースに少し余裕ができた。しばらく待っていると、次郎が戻ってきた。

「喜太郎は帰った。佐和子、もう安心してええで」

佐和子の表情から、喜太郎を避けていることがわかったのだろう。

顔を上げた麻衣が次郎に尋ねた。

「これからロボットの動作確認というわけね。ところで、今日も義男君はいないのかしら?」

次郎が困ったような表情で答えた。

「ああ、体調不良で午後から出社すると言っとった」

「体調不良? 寒くなってきたから風邪でもひいたのかしら?」

麻衣が独り言のようにつぶやいたが、次郎はそれには答えなかった。

「お待ちかねのベラリオンは二階や。佐和子はここで待っとれ」

次郎が応接室を出て廊下を直進していったので、ボクたちもその後を追った。まっすぐ歩いていくと、前方にエレベーターが見えてきた。次郎がボタンを押すとその扉が開いた。

内部はかなり広く、二十人くらい乗れそうな大きさだ。

キョロキョロしている百合に向かって次郎が言った。

「大きいやろ。荷物運搬用も兼ねておるからな。楽天則もこれで移動させとる」

二階に到着してエレベーターの扉が開くと、小さなエレベーターホールとなっており、その前方に大きな金属製の扉があった。

「今から開けるで」

次郎が扉の中央部に取り付けられた正方形のパネルに手のひらを押しつけ、さらにその上方にある長方形の鏡に顔を近づけると、スライド式の扉が横に開いた。

「これは指紋認証だけやなく、手のひらを通る血管も見とる。さらに顔認証と虹彩認証も組み合わせて完璧な個人認証ができるようになっとるんや」

「ここまで厳重にする必要があるのかしら？」

麻衣がそう尋ねると、次郎は不愉快そうな表情で答えた。

「何言うとんねん！　重要な技術はノウハウとして保護しなきゃならんやろ。ちなみに、二階の部屋に入ることができるのは、わしと義男のふたりだけや。佐和子も入ったことはあらへん。部外者で入ったのは、おまえたちが初めてや」

たしかに、以前二度ガンラボに来たときは、応接室で会議をしただけだった。

扉の向こうにはフローリングの床が広がっていた。一番奥に楽天則が鎮座し、その周辺には部品の製造装置などが置かれている。部屋の手前に視線を戻すと、左側には大きな作業机が置かれ、その上には書類が一枚一枚丁寧に広げられた状態で置かれていた。一方、右側は開放的なスペースとなっており、小さな冷蔵庫と食卓テーブルが並んで配置されていた。

食卓テーブルの上には、調味料ラックと、水の入ったビーカーのほか、一辺が五十センチメートルほどの箱型の白い機器が置かれていた。まるで巨大なサイコロのようだ。その側面には「ＴＡＫＡＭＩＮＥ」と書かれている。仙台発祥の家電メーカー「タカミネ株式会社」が製造している「フルクック」という製品だ。

フルクックは、自動調理器の本体と、コンパクトな拡張ユニットを一体化させたものである。自動調理器を大きめの箱で覆(おお)ったようなサイズ感だ。この拡張ユニットにより、自動調理器に食材をセットする前の工程となる「食材の洗浄・カット」と、調理を終えた後の工程となる「料理の盛りつけ」が自動化されている。カットされた食材が最適な順序でセットされる点も大きな強みだ。もちろん、機器に入りきらない大きな食材については、事前にある程度の大きさまでカットしておく必要はある。

この拡張ユニットは、昨年のお手伝いロボット選手権でロボ研が出展した技術をベースとしており、ロボ研ではこれを「ＰＰＡ(ピーピーエー)」と呼んでいる。「Pre and Post Achievement」という怪しげな和製英語の略称だ。タカミネ製品にロボ研の技術が搭載されているのは、ＰＰＡに目をつけた同社からロボ研に問い合わせがあり、その後製品化に至ったからだ。

次郎は部屋の奥まで歩くと、楽天則の手前に置かれた銀色に輝く動物型の物体を抱きかかえて戻ってきた。ロボ研が開発したライオン型ロボット「ベラリオン」である。昭和五十年代のアニメ『未来ロボ ダルタニアス』に登場する巨大なサイボーグ・ライオン「ベラリオス」にちなんで、隠れアニメオタクでもある麻衣が命名した。

今回、「食材移動ロボット」としてお披露目するのは、何を隠そう、このベラリオンである。ライオン型である必要性はまったくないのだが、一から新たなロボットを製作するのは金銭的、時間的にも現実的ではない。そのため、ロボ研で昨年製作したベラリオンを転用することにしたのだ。動物的な動きに人間的な動きを組み合わせるという荒業（あらわざ）が、結果的に、新規な駆動技術であるＳＴＥＰを生み出した。

次郎は床の上にベラリオンを置いた。スポーツカーのような流線型のシルエットが美しい。

百合が縁なしメガネの位置を調整しながら言った。

「やっぱり、ベラリオン、ちょーカッコいいです。素敵です！」

麻衣がベラリオンに向かって叫んだ。

「さあ、ベラリオン、生まれ変わった雄姿を見せて！」

「活躍を見せつけるときが来たで！」

次郎はフルクックの前に立つと、その上面の液晶タッチパネルを操作しはじめた。

「本番と同じ料理でいくで。すき焼きや」

ベラリオンの目が青白く光り、その四つの足を使っていきなり冷蔵庫に向かってジャンプした。着地後に立ち上がり、左手で冷蔵庫の扉を開けると、右手を使って、牛肉、ねぎ、春菊、しらたき、焼き豆腐、しいたけを次々に口の中へと入れはじめた。

一連の作業を終えると、左手で冷蔵庫の扉を閉めた。そして隣にあるテーブルに向かって飛び跳ねると、調味料ラックとフルクックの間にある隙間に着地した。

ベラリオンはフルクックの方を向くと、左手でその側面のボタンを押した。フルクック上面の一部が大きく上に開き、格子状に仕切られた九つのゾーンがむき出しとなった。ベラリオンは右手を使って口にくわえた食材を取り出すと、その種類ごとに異なるゾーンに分けて配置していった。食材の配置を終えたベラリオンが再びフルクック側面のボタンを押すと、開口部が下に向かって閉じた。

ベラリオンはその場で調味料ラックの方に向きを変えた。ラックの中には様々な調味料の入った直方体の透明プラスチック容器が、横十列、縦三列の計三十個ほど並んでいる。各々の容器の蓋には、「塩」「砂糖」「胡椒」「醤油」「ソース」「みりん」「サラダ油」「日本酒」「酢」「味噌」「小麦粉」「片栗粉」など、ゴシック体で書かれたラベルが貼られていた。

ベラリオンが再び口を開けると、舌の上に載った状態の計量カップが前方に押し出された。さらに、右手のそれぞれの指から大きめの計量スプーンが突出した。ベラリオンは、

「醤油」「日本酒」「みりん」「砂糖」の各容器の蓋を左手で開けながら、右手の各スプーンでそれぞれの内容物をすくい取ると、舌の上のカップへと入れた。続いて各容器の蓋を閉じると、隣にある水の入ったビーカーを左手に取り、その水を同じカップの中にそそぎはじめた。そして、水の重量の減り具合から適量と判断すると、その手を止めた。

ここでベラリオンは再びフルクックの方に向きを変え、側面の上部にある取っ手を引き、その調味料挿入口を外側に開いた。そして、舌の上のカップを前傾させてその中身を一気に流し込むと、最後にフルクック上面の調理開始ボタンを押した。

鳥がさえずるようなメロディが鳴った後、微かな起動音が聞こえはじめた。ここから食事の盛りつけまで、すべてが全自動で進む。

「だいたい十五分で出来上がりや」

次郎が自信満々な様子で言った。成功を確認できた一同は、その場で拍手をはじめた。ただひとり、麻衣だけが考え込むような仕草をしている。

「ほぼ完璧だったけど、まだ課題があるわね」

次郎が不満げな表情で言った。

「はあ？　どんな問題点があるっていうんや？」

「見てちょうだい。結構こぼれているわよね」

麻衣はそう言いながらテーブルの上を指さした。

先ほどは気づかなかったが、たしかにテーブル表面の一部が調味料で汚れている。調味料をスプーンからカップに移す際にこぼれ落ちたものだろう。

麻衣が次郎に言った。

「スプーンを大きめにして計量センサーまで付けたのよ。それでもこぼれ落ちたってことは、動きにまだ不安定なところがあるということよ。マニピュレーターの速度制御に問題がありそうね」

次郎は不愉快そうに眉をひそめた。

「まあ、ベラリオンは、もともとジャンプしながら高速移動することを目的に作られたロボットやからな。今回の改造で前足をＳＴＥＰ対応型のものに取り換えて、チューニングが結構大変やったんよ。たしかにもう少し調整が必要やけど、予行演習まではなんとかするわ。まかせといてや」

ここで麻衣は百合の方に向きを変えて言った。

「百合ちゃんは、大会当日の実演のストーリーを考えておいてくれないかしら？」

百合が微笑(ほほえ)みながら答えた。

「もちろんです！『新規性(しんきせい)』＊2も『進歩性(しんぽせい)』＊3もある魅力的なストーリーを作りますね！」

いきなり特許用語が出てきた。最近、知的財産権＊4の勉強をはじめた影響だろうか？　だが、使い方が明らかに間違っているような気がするし、個人的には、百合には法律の勉強よりもプログラミングのスキルをもっと上げてもらいたい。

十五分後、すき焼きの完成を知らせるメロディが鳴った。皆で早速食べはじめた。

「お、おいしいです！　大感激です！」

百合はひたすら叫んでいた。たしかに、全自動で作ったとは思えないほどおいしい。麻衣は料理を口に入れて満足そうな表情でうなずいた後、皆の顔を見回しながら言った。

「一週間後にロボ研の部室で予行演習をしましょう。次郎、百合ちゃん、それまでに準備をよろしくね」

ボクたちはガンラボを後にし、横浜駅方向に向かって歩いていた。

すると、前方から小柄な若い男性が近づいてきた。短髪で、牛乳瓶の底のような分厚いレンズのメガネをかけている。ガンラボの技術者、本多義男であった。足取りが重く、い

＊2　新規性　特許法においては、新しい発明であること。

＊3　進歩性　特許法においては、容易に発明されたものではないこと。

＊4　知的財産権　人間の知的な創造活動によって生み出された経済的な価値のある情報を、財産として保護するための権利のこと。特許権、実用新案権、意匠権、商標権、著作権などがある。

つも以上に暗い雰囲気を醸し出している。

義男は地元の工業高校でソフトウェアを学び、ガンラボに入社した。その後、福島の高専に通う実兄からロボット製作の知識を伝授され、さらに独学でＡＩ技術を極めることで頭角を現した。横山大学の学生ではないが、技術顧問としてロボ研メンバーを務めている。

麻衣は義男に駆け寄り、心配そうに尋ねた。

「義男君、体調不良って聞いたけど、体は大丈夫？」

義男はその問いかけには答えず、ため息をついてうなだれた。

「次郎社長と二人三脚で頑張ってきたのに、社長が全部ひとりで作っているって勘違いしている人が本当に多いんだよ。昨日会った人なんか、僕を助手呼ばわりして……」

分厚いメガネの下にある頬を涙が伝っている。泣いているようだ。午前中休みだったのは、精神的なショックを受けていたからかもしれない。

義男は肩を落とすと、トボトボとボクたちの横を通り過ぎていった。麻衣を見ると、両腕を左右に開きながら首をかしげている。

義男はガンラボの社屋へと吸い込まれていった。次郎との関係は大丈夫だろうか？

3

小高い丘の斜面にある急な階段を上っていくと、サークル会館が見えてきた。

横浜港からやや離れた場所に立地する横山大学のキャンパスの外れにある建物だ。数十年前に建てられたことから老朽化が進んでいるが、鉄筋コンクリート製で、エアコン完備だ。ここに入居できる団体は五年に一度行われる抽選で選ばれる。昨年の抽選で麻衣が当たりくじを引いたため、ロボ研はすんなりと入居できた。それも最上階の四階である。

「裕さーん、今日の予行演習楽しみですねえ！」

サークル会館の中に入ろうとしたところ、百合が後ろから声をかけてきた。いつものゴシックロリータ系の服装だ。この系統の服をいったい何着持っているのだろうか？　階段を上って部室のドアをノックすると、麻衣がボクと百合を出迎えた。麻衣はいつものグレーの作業服姿だ。部室に籠もっていることが多いので、いちいち着替えるのも面倒なのだろう。

部室の内部を見回すと、工学系のサークルとは思えないくらいスッキリとしている。つい最近まではかなりゴチャついていたのだが、先日、大掃除をして一気にキレイになった。

装置や部品が整頓(せいとん)され、今まで製作されたロボット群は、お城を守る衛兵(えいへい)のように壁に沿って一列に並べられた。ちなみに装置の多くは、かつて杉本製作所で使われていたものである。

「コーヒーを用意していたところだったの。ちょうどよかったわ」

麻衣はそう言って、三つのマグカップにコーヒーをそそぐと、そのうちふたつをボクと百合に手渡した。そしてひとり窓際に移動すると、外の景色を眺めながらマグカップを口に持っていった。

「あら、ベラリオンが戻ってきたわ!」

麻衣はコーヒーを飲むのを中断し、嬉しそうに叫んだ。

ボクも窓の外に目をやった。一台の白いトラックがサークル会館の駐車場に入ってきている。車種と色から考えて、ガンラボの社用車に違いない。

麻衣は部室の扉を開け放つと、そのまま全速力で階段を駆け下りていった。

しばらくして、麻衣が次郎と義男のふたりと一緒に入ってきた。次郎は右手に黒いボストンバッグを持っている。義男は相変わらず不機嫌そうな表情だ。麻衣は愛(いと)おしそうな表情を浮かべながらベラリオンを抱っこしている。

「一週間ぶりやな。百合、頼まれとったやつを買っといたで」

次郎はボストンバッグを机の上に置くと、そこから衣料品店の買い物袋を引っ張り出した。そしてその中に手を突っ込むと、ふたつのシート状の物体を取り出した。

　いずれもビニール袋の中に折り畳まれた状態で入っていた。白色のパーツと黒色のパーツが混在した既視感のある衣装だ。

「も、もしかして、これはメイド服とバニーガールのコスチューム？」

　ボクが驚いて尋ねると、百合が嬉しそうに答えた。

「そうです。メイドさんとバニーガールさんがベラリオンと共演するんですよ。先日お渡ししたシナリオに、そう書いてあったでしょ？」

　しまった！　まだ読んでいなかった。麻衣が「素晴らしい！　ブラボー！」と太鼓判を押していたので、安心してチェックしていなかったのだ。メイドとバニーガールが登場するとは、思いもよらなかった。

　急いで手元にあったシナリオに目をやった。


　一．メイドが豪邸のキッチンでお料理を作ろうとしている。「今日の料理はベラリオンに作ってもらいましょう」と言って、フルクックのタッチパネルで「すき焼き」を選択する。

　二．ベラリオンは冷蔵庫まで飛び跳ねると、その扉を開け、必要な食材を取り出す。そして再び飛び跳ねてテーブルに着地すると、集めた食材をフルクックに挿入する。

三．ベラリオンは調味料ラックの方に向きを変え、複数の計量スプーンを使って調味料をすくい取り、口の中の計量カップへと入れる。さらにビーカーから適量の水を同じカップへと入れる。そして、その中身をフルクックの調味料挿入口に流し込み、調理開始ボタンを押す。

四．発明者たちが技術について解説している間に十五分が経過し、すき焼きが完成。バニーガールがそれを、おいしそうに食べる。「ベラリオン、ありがとう！」メイドも大喜びだ。

完

な、なんだこりゃ？

読み終わって顔を上げると、麻衣が目の前に立っていた。

「あのね。ちょっと悪いけど、今から着替えるから少しだけ外に出てくれないかしら？」

ボク、次郎、義男の三人は部室の外で着替えを待つことになった。

「もういいわよ。中に入って」

部室の中から麻衣の声が聞こえた。

中に入ると、百合がメイド、麻衣がバニーガールになっていた。メイド服は、黒のワンピースと白いフリル付きエプロンとを組み合わせたエプロンドレスで、さらに、白いフリル付きカチューシャを頭に載せるものだった。

百合のメイド姿にはそれほど違和感はないが、グレーの作業服を着ていた麻衣の変身ぶりには驚いた。もっとも、一般的なバニーガールの衣装と比べると、露出はとても控えめだ。袖（そで）付きで、膝までふんわりと広がるスカートもついている。「バニーガール風ドレス」か「バニーガール風ワンピース」と呼んだ方が適切だろう。もちろん、ウサギの耳をかたどったヘアバンドのほか、蝶ネクタイ、尻尾などの必須のアイテムはしっかりついている。

「杉本がバニーガールをやることにしたんだ……。恥ずかしくないの？」

「恥ずかしいに決まってるでしょ！　どっちにするか百合ちゃんとジャンケンで決めることにしたら、私が負けてしまって……」

顔を赤くしているところを見ると、本当に恥ずかしいんだろう。こんな表情をするなんて、いつもの麻衣らしくないぞ。ロボ研の会長がこんなに可愛いわけがない！

百合が麻衣を諭すように言った。

「男性陣に女装はさせられないと、私とジャンケンするのを決断したのは麻衣さんです。もう撤回はできませんよ。これは一事不再理（いちじふさいり）[*5]なんです。司法取引[*6]には絶対に応じません」

「わかってるわよ。ちなみに、その専門用語の使い方、ちょっと間違ってないかしら？　まあ、いいわ。クリスマスが近いから出血大サービスよ」

次郎がまっとうな質問を投げかけた。

「ようわからんが、なんで、メイドとバニーガールが登場する必要があるんや?」

百合は縁なしメガネの位置を調整すると、自信満々な口調で答えた。

「勝利を勝ち取るための演出ですよ。技術的な素晴らしさを伝えるためには、雰囲気作りも大切です。二年連続の優勝を目指すのなら、これくらいのことはしないといけません」

横に立つ麻衣が言った。

「そうじゃなかったら、私がこんな恥ずかしい格好をするわけないじゃないの」

次郎が首をかしげながら言った。

「メイドとバニーガールが出てくるラノベがあった気がするで。パクリとちゃうか?」

百合が次郎の顔を見上げながら反論した。

「私が調査したところ、ロボットと一緒に登場する先行例は存在しませんでした。ですから、新規性も進歩性もあると思います。根拠のない情報提供は受け付けません」

知的財産権の勉強をはじめた影響なのか、先週あたりから日本語がなんか変だぞ。

麻衣も百合に同調するように言った。

「私もそんなラノベ、知らないわ。さっさと予行演習をはじめましょう」

この演出がプラスに働くのかマイナスに働くのか、正直よくわからない。先ほどのシナリオに沿った形で実演の予行演習がはじまった。

前回と比べてベラリオンの動きはより自然になっており、テーブル周辺に調味料をこぼすこともなかった。次郎の宿題が無事に完了していることが確認できた。

予行演習が終了し、皆で完成したすき焼きを食べていると、麻衣が思いついたように話しはじめた。

「そういえば大会当日は、審査員や観客の前で技術について解説する必要があるわ。その前にRIKOとSTEPについて、特許出願[*7]をしておきましょう」

次郎が眉をひそめて言った。

「ここで特許の話かいな？　他の誰かに真似されんようにするためとか言うんやろうけど、ほんまに必要なんか？」

百合が話に割り込み、知的財産権の知識を披露しはじめた。

「次郎さん、他の人による真似を防ぐだけではありませんよ。特許の活用方法は、他の人にライセンス[*8]したり、または売ったりと、色々あるのです。たとえば、昨年ロボ研で開発

＊5　一事不再理（いちじふさいり）　特許法においては、いったん審決が確定した審判について、同一の事実及び同一の証拠に基づいて審判が繰り返されることを禁ずること。

＊6　司法取引　一般的に、容疑者や被告人が捜査協力の見返りに刑事処分の軽減を得ること。

したPPAにしても、麻衣さんと裕さんが特許を取ってタカミネにライセンスしたからこそ、ここにあるフルクックが世に出たのです」

百合はそう言いながら、先ほどの予行演習で使用したフルクックを指さした。

麻衣が激しくうなずきながら言った。

「そうそう。あのときは初めてだったから、急いで特許にしたんだけど、それが功を奏したのよ。だから、今回も出願しておきたいの。この前の展示会で、技術に関する話を一切しないように、私があなたに釘を刺しておいたのも、特許出願することを考えてのことよ。早速、弁理士の先生のところに相談に行きましょう」

弁理士というのは、知的財産権に関する業務を行う国家資格者のことだ。合格率が一割にも満たない難しい試験を突破する必要があり、一般的には、合格するまで何年間も勉強し続けなければならないという。

次郎が面倒くさそうに言った。

「わかった、わかった。とりあえず話を聞きに行けばええんやろ」

4

日も暮れ、通りは美しいイルミネーションで彩られている。ボクと麻衣は、横浜・元町のショッピング・ストリートを歩いていた。

クリスマス・イブの夜ということもあり、幸せそうなカップルがたくさん歩いている。それを尻目に、ボクたちは山手方面にある丘の斜面を上っていった。ふたり揃っていつもの作業服姿だ。先ほどまで、麻衣とふたりでロボ研の部室に籠もってベラリオンの動作検証をしていたからである。この格好で元町を歩くのは、正直、かなり恥ずかしい。

「いらっしゃいませ！」

お店の扉を押し開けると、ウェイトレスがボクと麻衣に向かって話しかけてきた。既視感のあるメイド服を着ている。百合であった。

「百合ちゃん、どう？　順調？」

「はい、なんとか慣れてきたところです」

百合は縁なしメガネの位置を調整しながら答えた。ボクたちを迎え入れたのが百合とい

＊7　特許出願　特許権を得るため、特許庁に対して、願書や明細書などを提出する行為のこと。

＊8　ライセンス　知的財産権の権利者が、自らが権利を持つ知的財産を実施・使用することを他の者に許すこと。法律用語で「許諾」という。

うのには理由がある。じつは、三カ月前からこの店でアルバイトとして働いているのだ。
ここ、「パテカフェ」は、昭和時代の喫茶店を改装したもので、カウンター席とテーブル席を含めて二十名くらいのお客が入れるようになっている。ボクと麻衣がここに来るのはこれで二度目だ。今回は、ＲＩＫＯとＳＴＥＰに関する特許出願の相談のために足を運んだのである。

弁理士のところに行くはずが、なぜカフェなのか？　じつは相談相手である鈴木幸太郎（こうたろう）弁理士の事務所が、ちょうどこの裏側に位置しているからである。パテカフェも鈴木弁理士による経営だ。

麻衣によると、鈴木弁理士が発明家のための法律相談や、弁理士志願者のための受験指導を気軽にできる場を作りたいと考える中で、事務所にカフェを併設するというアイデアが出てきたという。パテカフェの「パテ」は、「特許」を意味する英語の「パテント」に由来する。

当初は横浜の都心から少し離れた保土ケ谷（ほどがや）駅近くにあったが、よりよい立地を求めて、半年前に移転してきたという。

百合はここで鈴木弁理士の指導を受けながら、弁理士試験合格を目指している。ウェイトレスのアルバイトは、受験勉強のついでという意味合いもある。知的財産権に興味を持ちはじめたきっかけは、お気に入りのフリル付きブラウスの模倣品（もほうひん）が市場に出回り、それが訴訟にまで発展したのを目にしたからだという。

ところで、前回は黒い普通のウェイトレスの服装だったが、なぜメイド服に変わったのか？　その点を百合に尋ねると、単に、芳しくない集客の促進のためだという。このカフェをメイドカフェにするつもりなのか？

しばらく百合と話をしていると、カウンターの奥側から女性の声が聞こえた。

「百合ちゃんには本当に頑張ってもらっているわ。ほぼ毎日お店に出てきてくれているの」

タオルで手を拭きながら姿を見せたのは、白いエプロンを付け、髪の毛を金髪に染めた女性だった。麻衣の姉の杉本玲である。

両耳に大きなピアスを付けており、麻衣と違って、随分と派手な出で立ちだ。よく見ると顔は似ているが、一方が黒髪で一方が金髪なので、一見しただけではまったくの他人のようにしか見えない。

麻衣によると、父親の他界後、麻衣がおじいさんとべったりになった一方で、玲は母親と喧嘩ばかりした挙句に不良少女になってしまったという。もっとも、玲本人に確認したわけではないので、本当なのかどうかはわからない。

玲は現在、このカフェの店長をしている。東京の美大を卒業後、不本意にも一般企業に事務職として就職したものの、その企業のブラックさに愛想が尽きて、転職したのだと聞いた。店長業務以外では、鈴木弁理士の事務所における事務手続きを手伝っているという。

じつはベラリオンのデザインをしたのは、この玲である。麻衣が動物型ロボットを作りたいと言い出したとき、元美大生の血が騒いだのか、自らデザインを担当すると手を挙げたのだ。ちなみに、ライオン型になったのは玲のアイデアではない。玲が自分で描いて自室の壁に飾っていたライオンの絵を見た麻衣が、直感で決めたのだ。

ベラリオンには高級素材がふんだんに使われており、相当な製作費がかかっている。それは当時玲が付き合っていた金持ちの彼氏が負担したらしい。その彼氏とは、玲の方から振って別れたという。

店内を見回すと、隅っこに電飾が施(ほどこ)された小さなクリスマスツリーが置かれていた。ボクたち四人のほかには、ポニーテールをした若い女性客がひとりカウンター席に腰かけているだけだ。その女性客はこちらに背を向けながら、カウンターの上に座り込んだ一匹の三毛猫を撫(な)でていた。その仕草になんとなく寂しさを感じるのは今日がイブの夜だからかもしれない。

麻衣が三毛猫の方を向いて玲に話しかけた。

「ミケスケは元気になったの？　この前来たとき、風邪をひいていたわよね……」

ミケスケというのは、この三毛猫の名前だ。鈴木弁理士の飼い猫で、お店の主のようにいつもカウンターの上に座り込んでいるという。一度だけ、鈴木弁理士がミケスケをロボ研の部室に連れてきたことがある。そのときもミケスケは、部室の主のように机の上に座り込んでいた。

玲はミケスケの方に目をやりながら答えた。

「鈴木先生が動物病院に駆け込んだら、注射一本で治ってしまったわ。もうピンピンしているから大丈夫よ」

ミケスケは独身の鈴木弁理士にとっては家族のような存在なのだという。そのため真っ先に病院に駆け込んだのだ。

ボクたちの視線を感じたのか、カウンター席の女性客がこちらを振り向いた。大人の女性、といった感じで年齢は三十歳前後だろうか。カジュアルな装(よそお)いだが、明らかに社会人という雰囲気を醸(かも)し出していた。

「でも、まだちょっと疲れているみたいよ。注射だけじゃなく、おいしいものも食べさせてあげないとね。ミケスケ、アーユーオーケイ?」

そう言って、ミケスケの首輪に付いた鈴をチリンと鳴らした。

玲が頭を下げながら言った。

「親切にご助言ありがとうございます。鈴木先生にも伝えておきますね」

その女性客は立ち上がり、こちらに向かって歩いてくると、ボクと麻衣の前で立ち止まった。ポニーテールにした美しい黒髪と、涼しげな切れ長の目が印象的だ。その背後に目をやると、ミケスケが大きなあくびをしていた。

「自己紹介をさせてください。このお店の常連で、百合さんと一緒に弁理士試験の勉強をしている、豊田カリンって言います」

受験指導を受けているのは百合ひとりだけと聞いていたが、いつの間にか勉強仲間が増えていたのか。

麻衣がカリンに向かって微笑んだ。

「あら、そうなんですね。それは素敵です。一緒に勉強する仲間が増えた方がモチベーションも維持できますからね。そうでしょ、百合ちゃん？」

いきなり百合に質問を振った。

「ああ、はい、本当にありがたいことです。私だけではなく、鈴木先生も喜んでいました。じつは鈴木先生が、受験指導を受けるなら今しかないって、入荷されたばかりのミケスケ・グッズ一式をカリンさんにプレゼントして口説いたんですよ」

そう言いながら百合は、レジの横の棚を指さした。そこには、ミケスケをイメージしたイラストがあしらわれたマグカップや小皿などの食器類やボールペンなどの文房具類が並んで置かれていた。ちゃんと「ミケスケ」の文字も入っている。前回来たときには、こんなものはなかった。

ボクが百合に尋ねた。

「もしかして、先生はミケスケのキャラクターグッズを使ったビジネスを展開しようとしているのかなあ？」

「まさにそのとおりです。販売のためのウェブサイトを開設するだけではなく、すでに商標登録*9までされているそうですよ」

麻衣が大きくうなずいている。

「なるほどねえ。でも、ミケスケ・グッズだけというのももったいないわ。ずん太のグッズも一緒に販売できそうね」

そう言って作業服の胸ポケットから奥羽ずん太のフィギュアを取り出すと、続いてズボンのポケットからその台座を引っ張り出した。そして、台座の上にフィギュアをセットしてからミケスケのマグカップの横に置いた。

玲が前かがみになった。

「あら、なかなかいい感じじゃない？　早速、お店のインスタに載せないと……」

そう言ってスマートフォンで写真撮影をはじめると、その横にいたカリンが麻衣に尋ねた。

＊9　商標登録　自らの取り扱う商品・サービスを他人のものと区別するために使用するマーク（識別標識）について、国が登録して商標権を発生させること。

「さっきから気になっていたんだけど、この子は何なの？」

「東北の応援キャラクターで、奥羽ずん太って言います。仙台に行ったとき、景品で当てたんですよ」

「ふうん。なかなか可愛いわね」

「可愛いだけじゃないんです。色々な機能も付いているんですよ」

麻衣がそう言いながらフィギュアの背中を押すと、その両目が緑色に光り、ダンスをするように左右に揺れはじめた。

「アメイジング！　電動式なのね。こういうのはあまり見ないわね」

「ずん太の和服の帯のところに収納式のＵＳＢ端子が入っていて、そこから充電できるようになっているんです。歩数計やメモリまで付いているんですよ」

「へえー。見かけによらず多機能なのね」

「人生初めてのビジネス交渉に成功したときに当たったので、お守りにしているんです」

奥羽ずん太のフィギュアは、ＰＰＡのライセンス交渉の一環としてタカミネの仙台本社を訪れた際、市内で開かれていたイベントで麻衣が景品として当てたものだ。ちょうど交渉の大詰めだったことから、麻衣はこのフィギュアをタカミネとの交渉時の戦利品と考えているようだ。

「お守りねえ……」

カリンが微笑んだそのとき、勢いよくお店の扉が開き、眉毛の太いオールバックの男性が駆け込んできた。ぜいぜいと肩で息をしている。

「少し遅れてしまった。申し訳ない」

この男性こそ、鈴木幸太郎弁理士である。紺色のスーツを着込み、象形文字（しょうけいもじ）のような不思議な柄が入ったネクタイをしている。麻衣によると、同じデザインのスーツとネクタイを複数持っていて、毎日同じ格好なのだという。大きな瞳に太い眉毛が印象的で、一度見たら忘れることのできない顔立ちだ。年齢は三十代後半くらいだろうか。

「大丈夫ですよ。次郎もまだ来ていませんし……」

麻衣がそう答えると、鈴木弁理士は少し苛立（いらだ）った様子で答えた。

「なんだ、まだ来ていないのか。それじゃあ、まずは三人で軽く打ち合わせをはじめようか」

そう言うと、店内の奥にある大きなドアに向かって歩いていった。ボクと麻衣もその後を追う。そのドアには「鈴木幸太郎知財事務所」と書かれていた。そう、事務所の中に入るには、いったんパテカフェの店内を通り抜けることが必要な構造になっているのだ。

鈴木弁理士が開錠（かいじょう）してドアを前に押し出すと、首輪の鈴をチリンチリンと鳴らしながら、ミケスケがその隙間から事務所の中へと入っていった。カリンはその様子を微笑ましそうに眺めている。

「あらあら、先生が戻ってきたら、ミケスケ、早速元気になっちゃって……」

店内の玲、百合、カリンを残し、鈴木弁理士に続いてボクと麻衣も事務所の中に入った。

鈴木弁理士が壁のスイッチを押すと、天井の蛍光灯が点灯した。パーティションで仕切られた事務机が三つあり、部屋の端には、同じくパーティションで仕切られた小さな応接コーナーがあった。テーブルを挟んでふたつのソファが向かい合っている。鈴木弁理士がこちらを向いて手招きをした。

ボクと麻衣はふたり並んで一方のソファに腰かけた。小さなソファなので体が密着する。一瞬胸がドキッとした。それにしても、この聖夜にどうしてこんな場所にいなければならないのだろう。しかもふたり揃っていつもの作業服姿とは……。

鈴木弁理士はテーブルの上に大阪のお菓子「面白い恋人」が入った箱を置いた。北海道の定番のお菓子「白い恋人」ではない。

「職業柄、こういったものを集めるのが好きでね。自由に食べてくれたまえ」

続いて鈴木弁理士は壁の時計に目をやりながら言った。

「では、打ち合わせをはじめよう」

「はい。でも、もうそろそろ来ると思いますよ。この日時は彼の指定ですし……」

麻衣が申し訳なさそうに答えた瞬間、ドアのチャイムが鳴る音が聞こえた。

鈴木弁理士がドアを開けると、ぜいぜいと息を切らした次郎が立っていた。

「すんません。事務所の入口がどこにあるのか全然わからなくて。勘弁してください」

なるほど。やはり道に迷ったか……。

「うーん……。やっぱりみんな迷ってしまうようだね。お店の看板と事務所の看板を並べて出しているんだけど、いきなり用もないお店の中に入ることには抵抗感があるみたいだね。ああ、まだ自己紹介していなかった。私が弁理士の鈴木幸太郎です」

鈴木弁理士は次郎に握手を求めて右手を差し出した。

「おお、あなたが鈴木先生ですか」

次郎はそう言い、握手に応じた。

ボクと麻衣が並んで座っているのと反対側のソファに次郎と鈴木弁理士が並んで腰かけ、向かい合わせとなった。

次郎は身を乗り出してボクたちに話しかけた。

「おふたりさん、イブの夜にこんなところでデートかいな？　ペアルックがお似合いやで」

「デ、デート……」

口ごもるボクの横で、麻衣が答える。

「ああ、そういえば、今日はクリスマス・イブだったわね。忘れてたわ。年末まであっという間じゃない」

本当に気づかなかったのか？　まあ、麻衣がこういう面に鈍感なのは、今に始まった話ではないが……。考えてみれば、去年のイブの夜も、麻衣は部室に籠もってPPAの拡張ユニットの調整作業をしていた。なぜ知っているのかというと、その当日にヘルプするようボクも呼び出されたからだ。

麻衣は次郎に鈴木弁理士を紹介した。

「この前少し話をしたけど、ここにいる鈴木幸太郎先生はね、横山大学の卒業生で、弁理士として事務所を経営しているだけじゃなく、セミナーの講師や、業界紙の知財コラムの連載を長年続けているスゴい方なの。先生は、技術系のスタートアップ企業の立ち上げにもかかわっているわ。私たちが昨年発明したPPAも、先生が出願して特許に導いてくれたの。タカミネとのライセンス交渉も担当してもらったし、お姉ちゃんがデザインしたベラリオンの意匠登録[*10]まで手伝ってもらって、いくら感謝しても、し足りないほどだわ」

次郎は「面白い恋人」を食べながら麻衣の話を聞いている。

鈴木弁理士が次郎に尋ねた。

「麻衣さんからSTEPとRIKOというふたつの技術について特許出願したいと依頼を受けた。これらの技術には、次郎君たちガンラボ側から出た色々なアイデアも取り入れてあると聞いてね。そこで、明細書[*11]を書くにあたって、次郎君からも詳細を聞いておきたいと思ったんだ」

次郎は眉をひそめながら答えた。

「特許とおっしゃいましたけど、ただ麻衣に勧められただけで、まだ特許を出すと決めたわけではないんです。特許を出さずにノウハウとして隠しておいた方がいいんじゃないかと言っている人もおるんで……」

鈴木弁理士は太い眉毛を激しく上下させると、コホンと咳払いをしてから話しはじめた。

「たしかに、製造技術などブラックボックス化できるものについては、外からアクセスできないように厳重に管理するなどしてノウハウとして秘匿することに意味がある。たとえば、コカ・コーラの原液の作り方なんかは、世界で数名しか知っている人がおらず、そのレシピを書いた紙は普段は金庫に保管されていると言われている」

「へー、そうなんや」

「その一方で、STEPやRIKOを搭載したロボットは、もしかしたら、将来市販されることがあるかもしれないよね。筐体を分解して中身を見れば、その仕掛けはある程度は

＊10　意匠登録　製品デザインなどについて、国が登録して意匠権を発生させること。

＊11　明細書　特許出願に必要な書類のひとつで、発明に関する詳しい内容を記述したもの。

わかってしまう。こういった見てわかる部分については特許を取得しておいた方がいい。技術の基本コンセプトも特許で押さえておいた方がいいだろう。それと、権利を強固にするためには、逐次(ちくじ)必要に応じて特許出願をしながら、複数の特許を束にして価値を高めることも有用だ」

話を聞いていた次郎が感心した様子で答えた。

「なるほど。特許を出すべきかどうかの基準が、だいたいわかりました」

「試作の請負が多いからかもしれないけど、次郎君は今まで特許出願をしたことがないんだね。でも、君のアイデアが何らかの形で試作品などに反映されることもあるだろう。そんなことも想定して、発明者が誰で、権利者を誰にするのかといったことは、常に考えておいた方がいい。この辺りをおろそかにしておくと、後々思わぬとばっちりを受ける可能性があるよ」

すでに次郎の過去の出願情報を調べていたとは、さすがは弁理士だ。

麻衣も次郎に話しかけた。

「私のおじいちゃんも発明家だったんだけど、特許を取らないでいたら、色々な会社に技術を持っていかれたり、真似されたりして、散々ひどい目に遭(あ)ったのよ。その二の舞になるのだけはやめましょうね」

麻衣が以前、杉本製作所が経営不振に陥ったのは、主要商品の類似品が市場に大量に出回った影響だと話していたことを思い出した。

「うん、わかった。出願するわ。即断即決や」

その言葉を待っていたかのように、鈴木弁理士が言った。

「では早速、出願準備を進めよう。まず、ＳＴＥＰとＲＩＫＯの発明者について確認しておきたい。着想した人と具体化した人が互いに協力している場合、どちらも発明者となり得るんだけど、果たして誰になるかな？」

麻衣は少し考え込んでから話しはじめた。

「ＳＴＥＰについては、ベラリオンの既存技術から改良が必要な部分を私がリストアップしました。機械的な部分は私が担当し、回路と制御プログラムは裕が作ってくれました。さらにインピーダンス制御などの高度な制御を最終的に仕上げてくれたのが次郎です。ですから、発明者は私、裕、次郎の三人になると思います」

「なるほど。ＲＩＫＯの方はどうだろう？」

「基本的な認識手法は、私と裕が議論して考えました。義男君にはパラメーターを最適化するアイデアを出してもらいましたし、それに応じたプログラムの改良なども担当してもらいました。ですから、発明者は、私、裕、義男君の三人になると思います」

「百合さんは？」

「百合ちゃんには作業を一部手伝ってもらっただけなので、発明者ではないと思います」

鈴木弁理士は麻衣と次郎の顔を交互に見てから言った。

「よくわかった。いずれの発明も、三人の自然人による共同発明[12]というわけだね。出願人はどうしよう？　とりあえず個人名義で出しておこうか」

麻衣と次郎はお互いの顔を見合わせた。しばらくして口を開いたのは次郎だった。

「わしも義男もガンラボの業務から離れて、個人として助っ人で入っただけやから、今回は個人名義で構いません」

「わかった。たしかにガンラボの業務外の発明であれば、そもそも職務発明[13]とはならないしね。個人名義で問題ないと思うけど、将来ライセンス料が入ってくる可能性もあるから、利益配分については今から決めておいた方がいい。それぞれの発明者の貢献度を決めて、その割合に応じて持分を決めるというのが、一番しっくりくるかな」

麻衣と次郎はうなずいている。続いて鈴木弁理士はふたりに指示を出した。

「それでは、明細書を書きはじめるから、今回の発明に関する資料をすべて出してもらえないかな？」

そう言うと壁に貼り出されたカレンダーに目を向けた。

「年末年始を挟んで作業を進めて、正月休みが明けたら記載の最終チェックをしよう。出願日は一月九日にしたいと思う。それまでに発明が『公知』になってしまうのはまずいから、出願前は、ＳＴＥＰとＲＩＫＯに関係する情報は厳重に管理しておいてもらいたい」

次郎が首をかしげながら質問した。

「コーチってなんですか？」

鈴木弁理士は丁寧な口調で話しはじめた。

「公知というのは、公然と知られた、という意味さ。守秘義務のない人に発明の内容を知られてしまうと、もはや新しい発明ではない、ということで特許が取れなくなるんだ。具体的には、特許庁[*14]の審査官による審査で『新規性なし』として拒絶されてしまう。これは自分自身の発明であっても例外ではない」

「つまり、無防備に誰かに話したりしたら自分でも特許が取れなくなってしまうということですか……」

「そのとおりだ。救済手段もなくはないけどね……。だから本来であれば、ＳＴＥＰもＲＩＫＯも名品復活展の前に出願すべきだった。今回は麻衣さんが気を利かせて具体的な技

＊12 共同発明　二以上の自然人の実質的な協力により完成された発明のこと。自然人（しぜんじん）とは人間のこと。自然の中で生きている人のことではない。

＊13 職務発明　企業の従業者などが、その職務上で行った発明のこと。①従業者などがした発明であること、②会社の業務範囲に属すること、③その従業者などの現在または過去の職務に属すること、が必要となる。

術内容がわからないように展示したから、幸い、公知とはなっていないけどね」

「ユーチューブで流した動画も大丈夫やろか?」

「そちらも念のため確認してみたが、あの程度であれば問題ないよ」

麻衣が鈴木弁理士に頭を下げながら言った。

「安心しました。それでは先生、よろしくお願いいたします」

「まかせてくれ。私は権利化できない依頼は引き受けない」

鈴木弁理士が自信満々な様子で答えると、ミケスケがその膝に飛び乗ってきた。鈴木弁理士がその首元を撫(な)でると、気持ちよさそうにゴロゴロと音を立てながら体を摺(す)り寄せた。

5

仙台の空は、雲ひとつなく青々と晴れ渡っていた。

もっとも、先週降ったという雪がまだ残っており、気温も零(れい)度近くになっている。万全の防寒体制で来仙(らいせん)したのは正解だった。

早朝の新幹線に乗ることにしたのは、お手伝いロボット選手権の開始が午前十時半という早い時間だったからだ。年明けから実演の準備に忙殺されているうちに、あっという間に開催当日となってしまった。ＳＴＥＰとＲＩＫＯに関する特許出願は無事に完了したが、改良作業などの準備は直前まで続いた。

ボクはベラリオンを入れた巨大なスーツケースを両手で支えながら、直立した状態で仙台の地下鉄東西線に乗っていた。その隣では、次郎と義男がパソコンや周辺機器を入れたリュックサックを背負っていた。その手前の座席に座った百合は、こっくりこっくり船を漕（こ）いでいる。昨晩は緊張でほとんど眠れなかったというから、無理もない。

待ち合わせ場所となっている国際センター駅に到着した。時計に目をやると、集合時間である午前九時十五分の少し前だった。

電車を降りてエスカレーターで地上まで上がると、白いコートを着た美女がこちらに向かって手を振っているのが見えた。麻衣である。彼女だけ前日に仙台入りして、タカミネの高峰春子社長の実家に泊まっていたのだ。

タカミネは、仙台の難関大学である東杜（とうと）大学の卒業生たちが立ち上げた会社で、高峰社

＊14　**特許庁　産業財産権（特許権、実用新案権、意匠権、商標権）関連の事務を所掌（しょしょう）する経済産業省の外局（がいきょく）。総務部、審査業務部、審査第一部～第四部、審判部から組織される。なお、早口言葉で知られる「東京特許許可局」は実在しない。**

長の父親が長年社長を務めていた。その父親が他界し、娘である現社長がその後を継いだ。タカミネは現在、東京本社と仙台本社の二本社体制となっているため、高峰社長は慌ただしく双方を行き来しているという。麻衣は、ＰＰＡのライセンス交渉の際、高峰社長の実家での食事に招かれた。そのときにひとり暮らしの高峰社長の母親に気に入られ、個人的にも親しくなったようだ。

　麻衣の左隣には鈴木弁理士がいた。たまたま前日に仙台に出張となったことから、そのまま宿泊して応援する予定であることはすでに聞いていた。

　気になったのは、麻衣の右隣にいる二体の怪しげな着ぐるみだった。左側は緑色の熊のような着ぐるみで、頭にオレンジ色のベレー帽を被っている。また、右側はピンク色をしており、一見すると緑色の着ぐるみの色違いである。ただ、良く観察すると頭頂に赤いリボンを付け、胴体には赤いハートマークが描かれていた。

　改札口を抜けると、早速、麻衣が声をかけてきた。

「みんな、おはよう！」

「きゃー、麻衣さん、こちらの可愛らしい動物さんたちはいったい何ですかあ？」

　百合が目を丸くしながら尋ねた。眠気も一気に覚めたようだ。

「こっちの緑色が『大崎一番太郎』くんで、あっちのピンク色が『ノン子』ちゃんよ。品川区の大崎のご当地キャラクターなの。今回は私たちの応援団として仙台まで来てもらったのよ」

「でも、どうして品川区のゆるキャラが、横浜から来た私たちの応援に？」

「百合ちゃん、いい質問だわ。じつは高峰社長が、宮城県を盛り上げるために何か考えてほしい、っておっしゃったの。横浜のゆるキャラを連れてこようと思ったんだけど、コネもなくてねえ……。お姉ちゃんに相談したら、以前付き合っていたデザイナーの彼氏が、自らデザインした『一番太郎』くんと『ノン子』ちゃんを紹介してくれたんですって。よりを戻そうと、お姉ちゃんの言うことは何でも聞いてくれるみたいよ」

男の立場からすればヒドい話である。

ボクが麻衣に尋ねた。

「地元の人たちは、ＯＫしているの？」

「ええ、もちろん。今回の大会で優勝したら、このふたりを仙台の繁華街・一番町と宮城県大崎市でデビューさせて、東京と宮城で街の活性化の相乗効果を図ることになったの。高峰社長がすでに交渉済みよ」

集合した一同は、駅に隣接する仙台国際センターへと向かった。パシフィコ横浜と比べると、こぢんまりとした施設だ。展示棟の展示エリアの中に入ると、入口側が観客席、奥側がステージとなっていた。また、展示エリアと通路を挟んだ反対側が準備エリアとなっており、各出展者に与えられた領域が低いパーティションで仕切られていた。

準備エリアの入口に貼られたマップを見ると、ロボ研に与えられた場所は、一番奥側のようだ。そこまで足を運ぶと、事前に送っておいた荷物はすでに届いていた。ミニ冷蔵庫、テーブル、椅子、調味料ラック、ビーカー、フルクックが並んで置かれ、その横にいくつか段ボールが重ねてある。この中には注文しておいた食材類が入っているはずだ。

ロボ研の実演は三番目のため、ゆっくりしている時間はない。早速、ボク、次郎、義男の三人はグレーの作業服に着替えてベラリオンの最終調整をはじめた。

しばらくすると、更衣室でバニーガール風ドレスとメイド服に着替えた麻衣と百合が戻ってきた。巨大同人誌即売会「コミックマーケット」のコスプレイヤーのような姿は異彩を放っていた。他の参加者たちの目もふたりに釘付けになっている。これだけで、もう優勝したような気分だ。

「予行演習と同じ調子でいけば、きっと勝てるわ。百合ちゃん、頑張りましょうね！」

「はい！　ベストを尽くしましょう！」

麻衣と百合は互いにガッツポーズを取りあっている。

実演の時間が近づき、ボクたちは道具一式をカートに載せ、会場内のステージ裏側に入った。前方にかかったカーテンの向こう側からは歓声が聞こえてくる。二番目のチームの実演が佳境(かきょう)に入ってきているところだった。

その終了に合わせ、セッティングのためにカーテンを開けてステージ内に入った。観客席は、ほぼ満席となっている。審査員席には五名の審査員が並んでいた。時間稼ぎの余興として大崎一番太郎とノン子の着ぐるみが壇上で踊りはじめた。ボクはフルクックの上に、麻衣のお気に入りの奥羽ずん太のフィギュアを置いた。「開催地の仙台の人たちの気を引くためのアイテムとして必須です」という百合のアイデアに基づく演出である。実演の様子を紹介する会場内のモニターで確認できるはずだが、仙台のどの程度の人が、ずん太のことを知っているのかボクにはよくわからない。

ひととおりの作業を終え、ボク、次郎、義男の三人はステージ前方の左側にある控えエリアで待機することにした。

控えエリアには鈴木弁理士がおり、こちらに気づくと話しかけてきた。

「準備、お疲れ様。技術的にも素晴らしいけど、女性の自立をテーマにしたシナリオもいいねえ」

「え？　どこが女性の自立なんですか？」

「家事は女性の仕事とされてきたけど、いかにも家事をしそうなメイドが家事を一切せず、マッチョなライオン型ロボットと自動調理器に家事を押しつけるところは、新しい女性像を示していると思うよ」

シナリオを作った百合は、絶対にそんなことは考えていないと思う。

壇上で余興を終えた二体の着ぐるみが控えエリアに戻ってきた。それぞれ両腕を使って自らの頭部を外すと、「中の人」がむき出しとなった。なんと、麻衣の姉の玲と、パテカフェの常連のカリンではないか。

「玲さん、カリンさん、どうしてここに……」

ふたりの代わりに鈴木弁理士が説明をはじめた。

「いやあ、誰かが中に入らないといけないだろう。幸いなことに、ぜひ協力したいって、ふたりが自ら申し出てきてくれたんだ。仙台観光も兼ねてちょうどいいだろう?」

「なるほど。でも、お店の方はどうなっているんですか?」

「ここ数日は臨時休業ということにしている。何も問題はない」

玲とカリンは、着ぐるみの頭部をそれぞれの腕に抱えながら激しくうなずいた。

ブー!

大きなブザー音が鳴った。実演開始だ。

「次は横山大学ロボット研究会の実演です!」

司会進行を務める女性の声を合図にステージ後方のカーテンが開いた。

メイド姿の百合がベラリオンを抱きかかえて登場した。

冷蔵庫の近くまで歩いてきた百合は、ベラリオンを足元に置いた。「今日の料理はベラリオンに作ってもらいましょう」百合はそう言うと、フルクックの液晶タッチパネルで「すき焼き」を選択した。

その目を青白く光らせたベラリオンは冷蔵庫に向かってジャンプした。そして冷蔵庫から食材を正確に選び出すと、それらをフルクックに挿入した。続いてベラリオンは調味料ラックから各種の調味料を適切にすくい取って計量カップに入れると、さらに適量の水を注いだ後、その中身をフルクックに流し込んだ。直前までの調整作業が功を奏し、予行演習のときよりも動きがさらに洗練されていた。

ここでバニーガール風ドレスを着た麻衣が登壇し、全体的な技術解説をはじめた。途中から次郎がＳＴＥＰについて説明し、最後は義男が登壇してＲＩＫＯに関する説明を行った。義男の不機嫌そうな様子を見て心配になった麻衣が、彼にも説明の機会を与えたのだ。麻衣は何かにのめり込むと、一見してそれ以外のことが目に入っていないようにも見える。だが、じつは配慮すべきポイントはきちんと押さえている。こうした彼女の気遣いのこまやかさを、ボクは今まで何度も目にしてきた。

すき焼きが出来上がったことを知らせるメロディがフルクックから流れてきた。バニーガールに扮した麻衣が再び登場し、フルクックの正面下側にあるスライド式のトレイを前方に引き出した。その中には完成したすき焼きが入った皿があった。

食卓テーブルに腰かけた麻衣は、「いただきます！」と言いながら手を合わせると、箸を使って完成品を食べはじめた。隣にやってきたメイド姿の百合が尋ねた。

「お味はいかがでしょうか？」

「おいしい！　最高だわ！　ほっぺが落ちそう！」

麻衣が最上級の言葉を発すると、百合は満足そうな表情を浮かべ、「ベラリオン、ありがとう！」と言いながら、その頭を撫でた。ひとつの失敗もなく、実演は無事に終了した。

「横山大学ロボット研究会の実演でした。皆さん、拍手をお願いします！」

司会の女性の声が響いた。会場から大きな歓声と拍手が湧き起こった。誰もが満足そうな顔だ。実演は大成功である。

その後、ボク、次郎、義男の三人は撤収作業を開始した。麻衣と百合は着替えのため更衣室に移動し、鈴木弁理士は二体の着ぐるみをカートに載せ、玲を連れて宅配便受付窓口へと向かった。

実演の道具一式を片づけていると、手持ちぶさたな様子のカリンが、撤収作業の手伝いをするためステージに上がってきた。フルクックの上に載せた奥羽ずん太のフィギュアを興味深そうにいじっている。気に入って欲しくなったのだろうか？　顔を見ると、かなり疲れた様子だ。長時間、着ぐるみを被っていたのだから無理もない。

ボク、次郎、義男、カリンの四人は準備エリアに戻り、道具一式をスーツケースとリュックサックに詰めはじめた。普段着に着替えた麻衣と百合、それに続いて鈴木弁理士と玲も戻ってきたので、皆で一緒に収納作業を行った。

その後、他のチームの実演を見るため、荷物番の次郎だけ残して、それ以外のメンバーは展示エリアの観客席の後方へと移動した。

ちょうど二列に分かれて七名ほど座れる場所があったので、前列には左から義男、ボク、麻衣、百合の順で、また、後列には左から鈴木弁理士、玲、カリンの順で腰かけた。自分たちの出番が終わると随分と気が楽になる。

ボクは周囲を見回した後、右隣にいる麻衣に小声で尋ねた。

「今日は佐和子さんは来ていないんだね」

麻衣も小声になって答えた。

「ええ。次郎の話だと、どうやら自宅で寝込んでいるみたいよ」

「寝込んでいる？　何かあったの？」

「ええ。新年早々、あの御木本喜太郎がまた現れたみたいなのよ」

「また？　どうして？」

「ほら、以前、彼のロボットの料理機能を楽天則に導入する提案をしていたじゃない？　今度は、楽天則の食材認識機能、早い話がＲＩＫＯのことね、その技術を自分に渡してほしいっていう話だったみたいよ」

話が漏れ聞こえたらしく、ボクの左隣にいる義男が小声で口を開いた。

「その話だけど、当時、次郎社長と佐和子さんは年始の挨拶のために社用車で取引先に出かけていて、ガンラボは僕ひとりだけだったんだ。事情がよくわからなかったから、ふたりが外出先から戻ってくるまでの間、応接室で待ってもらうことにしたんだよ。僕は二階に上がって、彼ひとりが応接室にいたんだけど、先に戻ってきた佐和子さんとちょうど鉢合わせてしまって……」

麻衣が補足した。

「佐和子ちゃんが大声を上げたら、ちょうど玄関にいた次郎が応接室までやってきて、喜太郎を追い出したというわけ。もちろん、喜太郎にＲＩＫＯの技術を渡すっていう話は断ったそうよ」

義男が申し訳なさそうに言った。

「佐和子さんを困らせていたストーカーだったなんて全然知らなかったんだ。事情を知っていたら、応接室に通したりはしない。あの日以降、佐和子さんは体調を崩しがちなんだ。これは僕の責任だ」

麻衣が義男をなだめるように言った。

「そんなに自分を責めることはないわ。情報共有をきちんとしない次郎のせいよ」

ここで突然、百合が大声ではしゃぐ声が聞こえた。

「す、すごい、すごいです！　信じられないです！」

他のチームの実演を見ての反応だった。こちらの会話には注意を向けていないようだ。

百合の歓声につられてステージを見ると、ピョンピョンと飛び跳ねている小型のロボットが見える。これが何のお手伝いをするものなのかは不明だが、随分と派手なパフォーマンスだ。どうやら残すところ、あと二チームのようである。

後列に座っていた玲が前のめりになって麻衣に向かって話しかけた。

「今やっているやつも悪くはないけど、技術的にも、演出的にも、麻衣たちの実演が一歩抜きんでている気がするわ。お店のインスタにさっきの動画を上げておいたから後で確認してちょうだい」

玲はしょっちゅうインスタグラムにアクセスしている。中毒と言ってもいいくらいだ。

その隣にいたカリンも言った。

「麻衣さん、この大会、優勝間違いないわね。今から勝利者インタビューの内容を考えておいた方がいいわよ。アーユーレディ？」

麻衣がきょとんとした顔で尋ねた。

「どうして、そこまで断言できるんですか？」

カリンが微笑みながら答えた。

「だって、他の奴らがボロボロじゃない。そもその話として、開催二回目にして、お手伝いロボット選手権は、早くもネタ切れになっているようね」

「ネタ切れ？」

「出展数は去年の三十組よりも五組少ない二十五組でしょう。それに、荷物運搬ロボットとか、運動アシストロボットとか、どこも似通ったものばかりじゃない。テーマを『お手伝い』に特化した時点で、そもそも出展数が絞(しぼ)られる運命だったのかもしれないけど……」

なかなかの分析力だ。弁理士試験を目指していると聞いて、たぶん頭がいい人なのだろうと思ってはいたが……。

ここで突然、麻衣のスマートフォンが鳴った。

「もしもし。え！　なんですって！」

麻衣は突然立ち上がると、展示エリアを飛び出していった。ボクもその後を追った。

通路に出たところで、反対側の準備エリアから飛び出してきた人物と鉢合わせた。

「お、黄金仮面！」

大声を上げたのは麻衣だった。遭遇した相手は、なんと、あの「黄金仮面」だった。新横浜の倉庫で遭遇した賊が再び現れたのだ。

黄金仮面はベラリオンが入った巨大なスーツケースを両腕で前方に押し出す姿勢をしていた。

ボクと麻衣が飛びかかると、黄金仮面は右に向きを変えた。そして、スーツケースを持ったまま、全速力で前方に向かって走りはじめた。ボクと麻衣のふたりはその後を追う。

だが、手ぶらの自分たちよりも、なぜか黄金仮面の方が遥(はる)かに速い。

逃げられると思った瞬間、黄金仮面の目の前に、ハンカチで手を拭きながら鈴木弁理士が現れた。ちょうど男性トイレから通路に出てきたところだったのだ。なんという偶然だろう！

「先生、奴を捕まえて！」

麻衣の叫びを聞いてすべてを察した鈴木弁理士は、黄金仮面に飛びかかった。驚いたような声を上げげた黄金仮面は激しく転倒し、スーツケースがその両手から離れた。すると、キャスターが黄金仮面の進行方向と逆向きに回り出し、スーツケースはボクの手元に戻ってきた。

黄金仮面は立ち上がると、そのままジャンプしながら国際センター駅方向へと逃走した。

「あれが黄金仮面……」

鈴木弁理士が転倒した姿勢のままつぶやいた。

そこに、次郎が右手で後頭部をさすりながら準備エリアから通路に出てきた。

「ベラリオンは、なんとか死守できたんやな。急いで麻衣に電話したけど、間に合って本当によかったで。荷物番をしておったら、いきなり後ろから殴られてな……」

麻衣が次郎に言った。

「そうなのね。あいつの襲撃が、鈴木先生がトイレに行っていたタイミングと重なったのはラッキーだったわ。いつもトイレが近い鈴木先生に感謝しなければいけないわね」

いったいどういう感謝の仕方なんだ？

立ち上がった鈴木弁理士がこちらにやってきた。

「話には聞いていたけど、本当に江戸川乱歩の小説に出てくる黄金仮面そのものじゃないか。前回のターゲットは楽天則で、今回はベラリオンか……」

鈴木弁理士は右手でその顎(あご)を触(さわ)りながら考え込んでいる。

次郎が後頭部をさすりながら尋ねた。

「あいつの目的は何でっしゃろ? ＳＴＥＰかＲＩＫＯの技術を盗み出すことですかね?」

鈴木弁理士が右手で頬を掻(か)きながら答えた。

「おそらくそうだろう。楽天則とベラリオンとの共通点は、ＳＴＥＰとＲＩＫＯの双方を搭載しているところだからね。どちらもすでに特許出願しているけど、まだ出願公開[*15]されていない。特許出願の内容を公開する公開特許公報が発行されるのは、原則として出願から一年六カ月が経過した後だからね。だから、実物を入手して、どういう仕組みになっているのか調べるつもりだったのかもしれない」

黄金仮面の目的がおぼろげながらわかってきた。だが、いったい何者なのだろう?

夕方になり、すべての実演が終了した。ついに結果発表だ。

当日の参加チーム全員がステージ上に集められた。審査員長が登場し、封筒から紙片を取り出すと、そこに書かれた優勝チーム名を読み上げた。

「横山大学ロボット研究会！」

やった！　勝てるという自信はあったものの、実際に名前が呼ばれたことで、一気に感動が込み上げてきた。これまでの苦労を思い出し、目に涙も浮かんでくる。

ボク、麻衣、百合、次郎、義男の五人は、その場で固く抱き合って喜びを分かち合った。

司会の女性が麻衣にマイクを向けた。

「優勝、おめでとうございます！　今のお気持ちは？」

「とても、とても嬉しいです。応援してくださった皆さま、本当にありがとうございました！」

満面の笑みを浮かべた麻衣が、その場で深々と頭を下げると、会場から無数の拍手が湧き起こった。

＊15　出願公開　特許出願の明細書の内容などが掲載された公開特許公報が発行されること。

第二章　ゴロテック

6

「全員揃（そろ）ったわね。早速、ヨドビク電機に向かいましょう！」

麻衣が声を上げた。

ボク、麻衣、百合、次郎、義男のロボ研メンバー一同は久々に部室に集結していた。今日から、横浜駅前の家電量販店「ヨドビク電機・横浜店」で、フルクックとベラリオンとを組み合わせた店頭デモを行うことになり、必要な機材類を店舗まで運ぶことになったのだ。

事の経緯はこうだ。お手伝いロボット選手権の翌日、「ヨドビク電機・横浜店」から店頭デモを依頼するメールが届いた。わずか二週間の準備期間しか取れない状況だったが、店舗側の熱意に心を動かされた麻衣が即座に快諾（かいだく）したのだ。

ボクはフルクック、次郎はベラリオンを、それぞれ大きなスーツケースの中に入れた。

他のメンバーはそれ以外の備品類をリュックサックに詰め込んだ。ガンラボの社用車である白いトラックの荷台にそれらを積み込むと、運転席に次郎、助手席に麻衣が座り、ボク、百合、義男の三人は荷台に乗り込んだ。

楽天則はすでに同じ荷台に載っていた。今回の店頭デモとは無関係だが、ヨドビク電機側が動かさなくてもいいから展示だけでもしてほしいと言い出したため、次郎と義男がガンラボから連れてきたのだ。楽天則は無限軌道(むげんきどう)のロックを外すと、後ろから押して動かすことができる。それでも分解しないとサークル会館四階の部室までは運べないため、ロボ研のロボットであるにもかかわらず、普段はガンラボに保管されていた。

百合が楽天則を物珍しそうに見ている横で、義男は相変わらず沈んだ表情をしていた。ボクも人のことは言えないが、そんなんじゃ、いつまでたっても彼女ができないぞ。

ヨドビク電機・横浜店に到着した。横浜駅に隣接するビルの一階部分から五階部分を占める大型店舗だ。地階にある関係者用の駐車場にトラックを駐(と)めて一階へと上がる。「関係者以外立入禁止」と書かれた扉の前に立つ守衛に特別入構証を見せて中に入り、そのまま事務室へと向かった。

事務室長が笑顔で出迎えてくれた。

「いやあ、このたびはご協力いただき、ありがとうございます。お手伝いロボット選手権で優勝されたというニュースを聞き、直ちに杉本さんにコンタクトして正解でした。この店でしかできない貴重な店頭デモとなりそうです。楽天則まで用意していただいて……」

「お礼を言わなければならないのはこちらの方です。貴重な機会をご提供いただき、本当にありがとうございます」

麻衣は微笑みながらペコリと頭を下げた。

「チラシを大量に配りましたから、お客さんもたくさん見にこられると思いますよ」

「楽しんでもらえるよう頑張ります！」

挨拶を終えると、ボクたちは五階の家電売り場へと直行した。土曜日ということもあり、多くの買い物客で賑わっている。

キッチン家電が並ぶ一角に店頭デモ用のスペースがあり、ヨドビク電機側が用意してくれた冷蔵庫、テーブル、椅子、調味料ラック、ビーカー、そしてカゴに入った食材類などが置かれていた。楽天則は同じフロアの端に展示することになった。

店頭デモは、今週と来週の土日の計四日間、午前十一時から午後四時まで、一時間ごとに六回行うことになっていた。計二十四回である。

麻衣は、毎回異なる料理を試すことを主張した。ベラリオンの食材移動ロボットとしての動作検証という点でも、この店頭デモがよい機会になるというのがその理由である。

初演となる午前十一時が近づいてくると、主婦、若者、子供を連れた家族連れを中心に、次々と買い物客が集まってきた。最前列には「報道」の文字が入った腕章を付けた記者らしき人物が一眼レフカメラを構えていた。新聞社のようだ。

開始時間となり、店頭デモがはじまった。今回は、メイド姿の百合だけが登壇することになった。麻衣はマーケティング担当として、客に紛れてその性別や年齢などの属性をメモ帳に記録する係に徹することになった。個人的には麻衣のバニーガール風ドレス姿を再度見たかったところだが……。

肩慣らし的な意味も込め、最初の料理は、お手伝いロボット選手権と同じ「すき焼き」にした。実演は問題なく終わり、集まった客から大きな拍手が湧き起こった。店舗側の衛生管理の関係で、皆に食事をふるまうことができないのは残念だ。

その後の店頭デモでは、「ミネストローネ」「リンゴのコンポート」「麻婆なす」「ラタトゥイユ」「トムヤンクン」が登場した。

当日夜には、店頭デモの様子が店舗のウェブサイトで紹介され、また、新聞でも記事として取り上げられた。それが導火線となり、翌日の日曜日には、さらに多くの客が押し寄せ、翌週の土日には人数制限をしなければならないほどの盛況ぶりとなった。

最終日の最後の実演が終了し、ボクたちは後片づけを開始した。

だが、すべてが滞りなく終了、とはいかなかった。

フルクックをスーツケースに入れていたボクの背後から、「い、いやー!」という叫び声が聞こえたのだ。百合の声だった。

とっさに振り返ると、メイド姿の百合がうずくまっていた。両手には手拭(ぬぐ)いが握られている。その真下には大きな縁(ふち)なしメガネが落ちていた。百合がベラリオンの筐体(きょうたい)を拭(ふ)いていたところ、何かが起こったのだ。百合を見下ろすように、仮面を被(かぶ)ったマント姿の男が立っていた。そして左腕を真横に伸ばしてそのマントを大きく広げた。

「お、黄金仮面！」

大声を上げたのは麻衣だった。新横浜と仙台で遭遇した賊が、またしても現れたのだ。撤収作業をしているところを不意打ちするように飛び込んできたのである。

百合の横にいた義男が反射的に黄金仮面に飛びかかった。黄金仮面はそれを巧みに避けると、両腕でベラリオンを抱え上げた。続いてボクが飛びかかると、黄金仮面はベラリオンを抱えたまま後方に大きく飛び跳ねた。以前も感じたことだが、なんという跳躍力だろう。その下半身を見ると、足元が随分と太くなっているのがわかる。おそらく跳躍用の何らかの器具を装着しているのだろう。

黄金仮面は右に向きを変えると、ベラリオンを抱えたままの姿勢で前方にジャンプした。そして、連続ジャンプを繰り返しながら家電売り場を横切っていく。ヨドビク電機の店員は、その様子を見てあっけにとられている。

「お願い、捕まえて！」

麻衣が叫ぶと、店員たちが黄金仮面を追いかけはじめたが、速度に差があり過ぎて、とても追いつかない。

するとと突然、横から高さ二メートルほどの金色の人型ロボットが現れた。参考展示していた楽天則だ。椅子に腰かけた姿勢で、底部に取り付けられた無限軌道を動かしながら、黄金仮面を追いかけていく。

両者の距離はどんどん縮まっていった。そして、楽天則が黄金仮面の左足に激しく衝突すると、前かがみになった黄金仮面はその衝撃でベラリオンを手放した。ベラリオンは放物線を描きながら前方に飛び、頭から落ちていくと、ガシャンという鈍い音を立てて静止した。

振り返ると、次郎がコントローラーを握っている。楽天則の操作は、特定の人物のジェスチャーのみならずコントローラーでもできるようになっているのだ。

うつ伏せになって倒れている黄金仮面を店員たちが取り囲んだ。これで賊を捕獲することができる。

と思ったのも束の間、その場で立ち上がった黄金仮面は、大きく飛び跳ねたかと思うと、店員たちの頭上を軽々と飛び越えた。その後も連続ジャンプを繰り返し、前方に位置する非常口の扉を開けると、そのまま外壁に設置された非常階段を下りはじめた。ベラリオンを手放したことで、動きがさらに軽快になっていた。

店員のひとりが携帯電話を取り出して一一〇番通報していたが、今から警察が急行しても間に合うとは思えない。今回もベラリオンを死守することができたが、黄金仮面は取り逃がしてしまった。

7

「杉本さん、ぜひともよろしくお願いいたします」

ヨドビク電機・横浜店の強い希望により、三月以降も毎週土日に同店三階奥のイベントコーナーにおいて同様の実演を継続することになった。店頭デモがあまりに盛況だったからだ。

ベラリオンは落下の衝撃で壊れてしまったが、麻衣が徹夜で修理して元通り動くようになった。また、盗難防止用の長いチェーンを取り付けることで、会場内から持ち出せないようにする工夫を施（ほどこ）した。

継続が決まったものの、それぞれの実演の間の空き時間をどうするかといった課題も出てきた。関係者で協議した結果、お客が持ってきた食材を棚に入れてもらい、ベラリオンにそれを見せ、かつ握らせることで、食材が何かを当てさせる実演を新たに行うことにした。一回五百円という料金を取ることにしたことから、それなりの収入も入ってきた。

そんな中、タカミネの高峰春子社長から麻衣に連絡が入った。フルクックの改良版を製品化するにあたって、新たにライセンスを受けたいというのである。詳しい話を聞くべく、ボクと麻衣は鈴木弁理士に声をかけ、同社の東京本社がある蒲田（かまた）へと向かった。企業訪問であるため、ふたりとも就活中の学生のような黒いスーツで打ち合わせに臨（のぞ）んだ。麻衣のスーツの胸ポケットからは奥羽ずん太の緑色をした頭部が覗（のぞ）いている。

タカミネの東京本社は、多摩（たま）川沿いに建つ細長い八階建てのビルだった。蒲田駅から少し離れたところにあり、ゆっくり歩いて二十分くらいかかるだろうか。不便な場所にあることから、半年後には東京本社を横浜に移すと聞いた。

会議室の中に入ると、男性社員二名に挟（はさ）まれる形で、高峰春子社長がボクたちを待ち構えていた。

高峰社長は三十代後半の、清潔感溢（あふ）れる美人である。ふんわりとウェーブがかかった髪型をしており、長身で体格はガッチリとしている。シルエットだけ見るとまるで欧米人のようだ。イメージ戦略の一環なのか、いつもピンク色のスーツを着ている。素敵な方だが、独身だという。

社長の右側に座る五十歳前後の男性が、技術部の部長、渋沢信之（しぶさわのぶゆき）氏で、左側に座る同年代の男性が、知的財産室の室長、伏見（ふしみ）栄一弁理士である。知的財産室は、大型の研究開発センターが東京本社に設置されるのに合わせて、今年一月に仙台から東京に移転してきていた。

　高峰社長は麻衣に向かって話しかけた。

「こちらまで出向いてくれてありがとう」

「いえいえ、こちらこそ再びライセンスのお話をいただいて光栄です」

　麻衣が笑顔で答えた。こちらは麻衣を中心に、右側にボク、左側に鈴木弁理士という布陣でタカミネ側と相対する形で着席した。

「ヨドビク電機での店頭デモは大盛況のようね。麻衣さんたちの食材認識技術をフルクックの次のバージョンに搭載したいと考えているの。電話したときにも聞いたけど、今回も鈴木先生がしっかり入って特許出願を済ませていたとは、さすがね。ところで、あの技術、なんて名前だったかしら？」

「私たちはＲＩＫＯ（リコ）と呼んでいます」

「ＲＩＫＯ？　女の子の名前みたいね」

　そう。とある推理小説に登場する鑑定士の女の子の名前だ。ＲＩＫＯと命名したのは、その小説にハマったボク自身である。

　麻衣が高峰社長に質問した。

「ＲＩＫＯをフルクックの次のバージョンに搭載するということですが、具体的に、どのように使うのですか？」

「フルクックを市場に出してから半年がたつけど、使用者が間違った食材を挿入した場合でも、そのまま調理をしてしまう欠点があるという指摘が出ているのよ。食材の誤挿入を即座に検知する機能が追加できれば、その問題点も一気に解決するわ。具体的には、たとえば調理前に警告ランプが点灯して調理を実行しないような仕組みを考えているの」

鈴木弁理士が尋ねた。

「ＲＩＫＯの搭載はいつ頃を考えていらっしゃいますか？」

「できるだけ早く、可能であれば数カ月後には市場に投入したいところですね」

「数カ月後とは、随分と早いですね。間に合うのでしょうか？」

「ええ、間に合います。フルクックの次のバージョンを上市する計画は以前からありました。技術部の進言もあって、食材の誤挿入を検知する技術も自社開発していたのです」

鈴木弁理士が太い眉を眉間に寄せながら尋ねた。

「自社技術を開発されていたのでしたら、どうしてわざわざＲＩＫＯを？」

高峰社長は右側の渋沢部長の方を向いた後、正面に向き直ってから答えた。

「ある検証施設で比較実験してもらったのですが、自社技術よりもＲＩＫＯの方が遥かに認識率が高かったのです。それが自社技術ではなく、ＲＩＫＯの搭載を決めた一番の理由です。作業的にはソフトウェアの入れ替えだけで済むことから、数カ月後の販売開始でも問題ないという結論に至りました」

渋沢部長が高峰社長の顔を見ながら不満そうに言った。

「社長、ＲＩＫＯの認識率の方が遥かに高いとおっしゃいましたけど、特定の食材に限れば、我々の技術の方が認識率が高かったですよ。その点はお忘れなく」

どうやら、ＲＩＫＯの導入が決まるまで社内でかなり揉(も)めたようだ。ＰＰＡ(ピーピーエー)のライセンスを受けてフルクックを製品化することになった際も、社内で揉めに揉めた末に、高峰社長の英断で決定したという経緯がある。

そのときは、麻衣とボクが個人名義で持っていたＰＰＡの特許権を杉本製作所に移転させ、そこからタカミネにライセンスする枠組みが作られた。杉本製作所はビジネスを畳(たた)んだ後、長らく幽霊会社のような存在だったが、特許管理会社として復活を遂げたのである。今回のＲＩＫＯのライセンスにおいても杉本製作所を活用することになるのだろう。

それにしても、杉本製作所からライセンスを受けて製造した製品の欠点を克服するため自社で技術開発をはじめたのに、まさか再び杉本製作所からライセンスを受けることになろうとは、会社の技術陣は思ってもいなかったのではないか。

鈴木弁理士が高峰社長に質問した。

「時期的に可能なことはわかりましたが、そうであっても、随分と急いでおられる印象は拭(ぬぐ)えません。何か理由がおありで？」

高峰社長は小刻みにうなずいた。

「ええ。あの悪名高いゴロテックが、最近、フルクックの類似品として『クックコック』という商品を出してきたのです。コピー商品といってもいいくらい似ています」

ゴロテックとは、「平成のパクリ王」とまで呼ばれた「丹羽実（にわみのる）」という人物が創設した製造業を中心としたコングロマリットである。他社製品の模倣（もほう）ばかりしていることから、悪徳パクリ企業と評されることも多い。数年前に東京本社とシンガポール本社の二拠点体制としたことで、中国やアジア各国で製造した安価な製品を世界市場に大量に供給するシステムを構築した。

「クックコックのことは存じ上げています。各社の特許はもちろん、ＰＰＡの特許も微妙にかいくぐる設計になっていますね」

ここで高峰社長の左側にいた弁理士の伏見室長が発言した。

「そうです。私たちも検討しましたが、ゴロテックは本当に上手に設計変更しておるんですよ。鈴木先生の書かれた特許請求の範囲[*16]、少し限定しすぎではないですか？　やはり特許事務所で働いていると、企業の事業活動にマッチした権利範囲がわからなくなるんでしょうかねえ？」

いやらしい話し方だ。同じ弁理士として対抗意識を持っているのかもしれないが、随分と人を見下したようなトーンである。

鈴木弁理士が冷静に反論した。

「先行技術と比較して、ＰＰＡの進歩性を主張するためには、あの程度の限定はやむを得ませんでした」

「そうですかね？　もっと広く権利を押さえることもできたかと思いますが……」

「ＰＰＡの特許が回避容易なものであるとおっしゃるのでしたら、どうしてＰＰＡのライセンスを受けたのですか？　御社もゴロテックのように設計変更すればよかったのではないですか？」

険悪な雰囲気となってきたことから、高峰社長が伏見室長が回答するのを遮り、代わりに答えた。

「もちろん、ＰＰＡが優れた技術だからです。設計変更して特許を回避しようとすると、機器が大型化してしまうのはもちろん、機能性や操作性の点でも劣るものになってしまいます。最高のものを顧客に提供するために、弊社はライセンスを受けることを決断したのです」

伏見室長は不満そうな顔をしながら独り言のようにつぶやいた。

「我々の想定以上の設計変更をしてきたゴロテックが一枚上ということでしょうかね？」

＊16　特許請求の範囲　特許を受けようとする発明を特定するために必要な事項を記載したもの。権利書としての役割を果たす。

高峰社長は鈴木弁理士に向かって話し続けた。

「たしかに、ゴロテックは巧みな設計変更をしてきましたが、機器の大きさと重さ、そして機能性と操作性の点では、フルクックの方が優れていることに変わりはありません。問題なのは、ゴロテック製品でも同じレベルの料理が作れるうえに、あちらの方が圧倒的に値段が安いことです。このままでは、私たちも、どこまで踏ん張れるかわかりません」

伏見室長も鈴木弁理士の方を向いて言った。

「そういうことです。ゴロテック製品との差別化を図ることができる新機能を、少しでも早く投入していきたいということなんですよ。もちろん、ライセンス料が高額になると価格に反映せざるを得ませんから、適正料率でお願いできればと考えているところです」

そう言いながら、伏見室長はライセンス料算定表の紙をこちらに差し出した。算定表を受け取った鈴木弁理士はそこに書かれた数値をしばらく見つめていた。

ここで麻衣が別の話題に話を振った。

「ところで、食材移動ロボットについてはいかがでしょうか？　もし製品化にご興味がおありのようでしたら、ＲＩＫＯに加えて、その駆動技術であるＳＴＥＰ（ステップ）についてもライセンスできると考えておりますが……」

この質問に反応したのは、渋沢部長だった。

「ＳＴＥＰ？　何ですかそれは？」

無理もない反応だ。このタイミングで出す話題ではないだろう。

麻衣が端的に答えた。

「食材移動ロボットの腕と手の動きをコントロールする技術です。大胆な動きと繊細な動きの双方を実現できます。駆動部分を切り換えることで様々な重量に対応することも可能です。一月のお手伝いロボット選手権では、ＲＩＫＯとＳＴＥＰの両方の技術を取り入れたことで優勝を果たすことができました」

ちなみにＳＴＥＰは、「驚異的拡張遊技システム」を意味する「システム・フォー・トレメンダス・エクステンデッド・プレイ」（System for Tremendous Extended Play）という怪しげな和製英語の各頭文字をつなげたものだ。この場で名前の由来を伝えたら笑い飛ばされそうである。

麻衣の回答を聞いた渋沢部長は見下すように言った。

「あのライオン型ロボット、なんていう名前でしたっけ？　獣人ロボットじゃあるまいし、動物的な大胆な動きと人間的な繊細な動きを併用したロボットなんて、中途半端すぎますよ。普通は、動物に寄せるか、人に寄せるかするでしょう？　それに、そもそもの話として、食材移動ロボットなんて事業として成り立つわけないじゃないですか？　いきなり何を言い出すんですか？」

麻衣が眉間にしわを寄せながら尋ねた。

「どうして事業として成り立たないと断言できるのでしょうか？」

「それはもちろん、お金を出してまで食材や調味料をロボットで移動させようというニーズがないからですよ」

「それは、現在の家庭や飲食店における調理の流れを考えた場合ですよね」

「はあ？　それ以外に何を考える必要があるというんです？」

「現在の在り方が将来、根本的に変わる可能性について考えたことはおありですか？」

「……ありませんね。そもそも、食材移動ロボットだなんて、そこまで用途を限定したロボットに、他に使い道があるとも思えませんしね」

　麻衣が反論しようとするのを鈴木弁理士が制止した。そして一枚の紙を高峰社長に差し出した。

「話をＲＩＫＯのライセンスに戻しましょう。こちらが杉本製作所側の算定表となります。ライセンス条件について議論させてください」

　互いに独自の算定表を用意していたことから、議論はスムーズに進んだ。双方の認識にあまり乖離がなく、金銭面についてはおおよその合意が得られた。ライセンス対象は、ＲＩＫＯの特許出願に関する発明、及びそのプログラムに関する著作権[*17]である。発明については、出願したばかりで、まだ特許として特許庁のお墨付きをもらったわけではないことから、特許成立までの間、「仮通常実施権[*18]」という形でライセンスをすることになった。

ライセンス交渉の第一弾が無事終了し、ボクたち三人は蒲田(かまた)駅前のステーキ店で打ち上げをすることにした。鈴木弁理士の奢(おご)りで、価格が一般的な肉の二倍はする高級肉を食べることになった。

麻衣がステーキにかぶりつきながら言った。

「それにしても前から思ってましたけど、伏見室長と渋沢部長には本当にムカつきますね」

ボクはパンをちぎりながら言った。

「高峰社長も大変だなあ……。キレイな人なのに、今日はとても疲れ切っていましたよね。あのふたりの部下は先代から仕えているんですよね。若い女社長に従わざるを得ないという状況が、歪(ゆが)んだ性格を作り出してしまったのかなあ」

ステーキにかぶりつきながら鈴木弁理士が答えた。

「ああ。でも、彼らは自分たちの仕事に誇りを持っているから、他社、それも大学生なん

＊17 **著作権**　美術、音楽、文芸、学術など、著作者の思想や感情が表現された著作物を対象とした権利。コンピュータ・プログラムや、情報の選択または体系的な構成によって創作性を有するデータベースも著作物となり得る。

＊18 **仮(かり)通常実施権**　特許成立前に、将来発生する特許権についてライセンスを受けて発明を実施することができる権利。

かにライセンス料を支払ってまで技術導入しなければならない点が不満なんだろうね。私も企業に勤めたことがあるから、その気持ちはわからないでもない」

「あれ？　鈴木先生って、サラリーマンだったこともあるんですか？」

「ああ。大学院を修了後、長らくメーカーの特許部に勤めていたんだけど、より主体的に自分の専門性を活かしたくなってね。弁理士となって自分の事務所を開設することにしたんだ。あまり事務所を大きくしたくないから、自分ひとりでやっているけどね」

「そうだったんですね。企業内弁理士として働いている伏見室長は先生とは立場が違うんでしょうけど、それにしても態度が随分とふてぶてしいですよね」

「たしかに私たちに対する態度はよいものではないけど、ライセンスする側とされる側とで、互いに交渉する立場にあるわけだから、あれくらいの方が健全だと思うよ」

麻衣はオレンジジュースを口にしながら言った。

「なるほど。大人の世界って、色々あるんですねぇ……」

突然、鈴木弁理士のスマートフォンがブルブルと震えはじめた。その画面に目をやった鈴木弁理士は深刻そうな表情を浮かべた。

それは百合からのメールだった。鈴木弁理士が弁理士試験の受験指導の一環として、ミケスケに関する商標を百合に調べさせたところ、鈴木弁理士以外を出願人とする出願が確認できたというのである。具体的には、無関係の第三者が様々な商品やサービスを指定して文字商標「ミケスケ」を大量に出願しているのを発見したのだ。慌てふためいた百合がメールしてきたというのが事の真相である。

「その無関係の第三者って？」

ボクが尋ねると、鈴木弁理士が答えた。

「なんと、ゴロテックだ。数年前から大量の商標登録出願をしていることは知っていた。彼らの商標先取りによるトラブルも頻発している。だが、よりによってミケスケもターゲットにしてくるなんて。見境なく商標登録出願をしまくるという、いかにもゴロテックらしい動きであるとは思うけど……」

「どうやってミケスケ・ブランドの存在を知ったんだろう？　パテカフェに来た人以外、誰も存在を知りませんよね」

つい失礼なことを口走ってしまった。

「ネット販売もしているから、検索でたまたま引っ掛かってきたのかもしれない。店長の玲さんがインスタグラムで積極的にグッズの宣伝をしてくれているから、その投稿を見た可能性もあるね」

鈴木弁理士がそう答えた後、麻衣が冷静な口調で尋ねた。

「でも、先生。ゴロテックは出願しているだけですし、先生の商標は先に出願して登録済みなんですよね。ゴロテックの商標が登録されることはないんじゃないですか？」

鈴木弁理士が首を振りながら答えた。

「いや、そんな単純な話ではないんだ。たしかに出願は私の方が先だ。文房具類と食器類に加えて様々な商品も指定した。だけど、第三者が全然似ていない商品やサービスを指定して同じ文字商標『ミケスケ』を出願した場合、それが登録される可能性はある」

「実際に登録された例はあるんですか?」

「ああ。たとえば、『ＡＥＯＮ』は『永遠』という意味のラテン語だけど、ショッピングモールの『ＡＥＯＮ』と英会話教室の『ＡＥＯＮ』は、どちらも独自に商標登録されている。『王冠』を意味する英語の『ＣＲＯＷＮ』も乗用車や辞典など独自の商標登録が複数存在している。指定している商品やサービスが全然似ていないからだよ。もっとも、仮にミケスケ・ブランドが有名になっていれば、出所混同（しゅっしょこんどう）[＊19]を生じやすくなるなどの理由で、商品やサービスにかかわらず他人が商標登録することは難しくなる。だけどミケスケ・ブランドは、まだ一般にはほとんど知られていないからね。その点も私には不利に働くんだ」

そう言うと、鈴木弁理士は小さくため息をついた。

8

みなとみらい線の元町・中華街駅から地上に出ると、山下公園で開花しはじめた桜が目に飛び込んできた。もう四月初旬だから、今年は例年と比べると随分と開花が遅い。ちなみに、ロボ研メンバーは留年することなく無事に進級し、ボクと麻衣も三年生になった。隣にいる麻衣を見ると、白いワンピースが桜とよく合っている。ふたりきりではあるものの、残念ながらデートではない。新年度の挨拶も兼ねて、久々にパテカフェを訪れることになったのだ。

「いらっしゃいませ」

お店の扉を開けると、前回と同じようにメイド姿の百合がボクたちを出迎えた。

「最近、鈴木先生の様子はどう？　ゴロテックにミケスケの商標を出願されて、かなり落ち込んでいたけど」

麻衣が尋ねると、百合は満面の笑みを浮かべて答えた。

「とてもお元気ですよ。今日もデートに出かけておりますし……」

「デ、デート？　いったい誰と？」

驚いたボクと麻衣は、顔を見合わせて同時に叫んでいた。

＊19　出所混同　商品・サービスの出どころを消費者や取引者が混同して、誤って認識すること。

「カリンさんですよ。先生、以前からカリンさんのことが気になっていたみたいなんです。どういう心境の変化かわかりませんが、思い切ってデートに誘うことにしたみたいですよ。恋愛も原則として『先願主義（せんがんしゅぎ）』[20]ですから、先手必勝ですしね」

そうか、鈴木弁理士も女性に対して積極的になることがあるのか。

「先生はカリンさんのどこが気に入ったんだろう？」

ボクが独り言のようにつぶやくと、カウンターの奥からタオルで手を拭きながらエプロン姿の玲が出てきた。

「なんかね、若くして亡くなった昔の恋人と後ろ姿がそっくりなんですって！　特に首のうなじのところが……」

麻衣が口を開いた。

「昔のカノジョのことが気になってるんだ。その人を基準に新しい恋人を探そうっていうのも、どうなのかしら？」

玲が小刻みに首を横に振りながら言った。

「麻衣、わかってないわね。私にはその気持ち、よくわかるわあ。私の元カレたちも、まだ私のことを想い続けているのよ。へへへ」

笑い方のせいだろうか、今日の玲はいつも以上にけばけばしい雰囲気だ。

百合が口を挟（はさ）んだ。

「それだけではないと思いますよ。カリンさん、とても頭のキレる方ですし……」

玲はカウンターの上で眠っているミケスケの頭を撫(な)でながら言った。

「まあ、たしかに物知りであることは間違いないわね。それと最近、先生の機嫌がいいのは、『ナデシコ』の抽選に当たったことも関係あると思うな」

麻衣が目を丸くして玲に尋ねた。

「え？　あのナデシコを先生が当てたの？」

ナデシコというのは、大阪の難関大学である浪速(なにわ)大学発のスタートアップ企業「ハウゼン」が開発している配膳ロボットのことだ。ウェイターやウェイトレスの代わりに使うことで店舗の省人化を実現できるという触れ込みのロボットである。ハウゼンは全国のカフェやレストランのオーナーを対象に、ナデシコが百台当たるというモニター募集のキャンペーンを実施していたのだ。

「そうよ。応募が二万件以上あったというから、二百倍以上の倍率ね。それを当てた鈴木先生はすごいなあ……。お店のインスタでも紹介しているんだけど、見てくれてない

＊20　**先願主義(せんがんしゅぎ)　同一の発明について異なった日に二以上の出願があった場合に、出願日を基準として最先の出願人のみに先願の地位を与えて特許を付与すること。**

の?」

「ごめんなさい。私、ＳＮＳはやらないから……。裕、ちゃんと確認しておきなさい」

いきなり話を振ってきた。じつは開設当初はよく見ていたのだが、今はほとんど見ていない。というのも、最近は玲と百合が美顔モードで写ったツーショットや、玲が趣味で描いた絵画や趣味で撮影した写真など、パテカフェとは無関係なものばかりが上がっていて、チェックする必要性を感じなくなっていたからだ。お店のアカウントを自己アピールの場にするのは公私混同のような気もするが、今の玲にとっては、インスタグラムが自らの創造性を発揮できる唯一の場なのかもしれない。

ボクが答えに窮(きゅう)していると、玲が微笑みながら言った。

「まあ、気にしないで。ふたりとも忙しいからね。ナデシコにはもう働いてもらっているわ。先週送られてきたの」

玲は近くのテーブルに腰かけると、机の上に置かれた赤いボタンを押した。

すると、カウンターの奥から一台のロボットが姿を現した。一見して簡易的な人型ロボットである。全身が薄い灰色をしており、高さは一メートル五十センチほどあるだろうか。顔はウルトラマンのようなシンプルな作りとなっており、料理を載せる配膳台を両腕で支えている。胸の部分にはディスプレイが備えられていて、下半身はスカートのような形状となっており、その下にある車輪で動くようになっていた。

麻衣の顔を見ると、興味深そうな眼差しをしている。

「あれがナデシコね」

「そうよ、なかなか可愛いでしょ。私だったら、もうちょっと違うデザインにするけど」

百合がナデシコを見つめながら愛おしそうな表情で言った。

「メイド服を着せようと思って、ナデシコちゃんのサイズもちゃんと測りました」

麻衣が玲に尋ねた。

「ナデシコの初期設定は誰がしたの？」

「私はスマホ以外の機械は苦手でねえ。百合ちゃんはスマホのほかにタブレットとパソコンもいじれるけど、それ以外は駄目みたい。途中まで頑張ったんだけどお手上げで、結局、鈴木先生に全部やってもらったわ。ナデシコが集客の起爆剤になるといいんだけど……」

ナデシコがテーブルに座る玲の横までやってきた。玲は右手の人さし指を使って、その胸の部分にあるディスプレイを操作しはじめた。

「ホットのカフェラテ、Ｍサイズですね」

いかにも合成音声といった女性の声をナデシコは発した。そして、その場で百八十度回転すると、カウンターの裏に戻っていった。

「あの子、カフェラテを作れるの？」

麻衣が不思議そうに尋ねると、玲が答えた。

「まさか。配膳ロボットにすぎないからそこまではできないわ。注文を受けた厨房の人がカフェラテを入れる必要があるの。出来上がったものをナデシコの配膳台に置くと、自動的にお客さんのところに持っていってくれるという流れよ」

「なるほど。ベラリオンに全自動エスプレッソマシンを操作させれば、カフェラテなんてすぐにできちゃうわ。ベラリオンとナデシコをセットにすれば、カフェにおけるすべての流れを全自動にするのもそう難しくないわね」

玲は微笑みながら麻衣にスマートフォンの画面を見せた。

「これを見て。麻衣たちが活躍するチャンスがまた増えたわ。ナデシコの公式ウェブサイトを見ていたら、こんなものが出ていたの」

それはコンペの告知文だった。「ナデシコ・アシスタント・システム 公開コンペティション参加者募集」と書かれている。

ハウゼンは来年から、旧財閥系の不動産会社と共同で、ロボットレストラン「ナデシコカフェ」を全国展開するという。予定店舗数は約五百。それに関連して、厨房で料理を調理してナデシコに手渡すシステムを提供する会社を募り、コンペによって導入するシステムを決めるというのだ。

開催日は今年の十一月三十日。場所は大阪城ホール。八月に東京と大阪で説明会が開かれるらしい。

コンペの詳細はこれから詰められるようだが、全体の流れとしては、冷蔵庫などから食材や調味料を探し出して調理し、出来上がったものをナデシコの配膳台に置くまでの一連の作業が必要となるようだ。

麻衣が嬉しそうな声で言った。

「ベラリオンとフルクックを使えば、こんなのお茶の子さいさいじゃない？」

ボクも興奮して言った。

「渋沢部長は食材移動ロボットに駄目出ししたけど、ものすごい市場性じゃないか……。麻衣にあんなことを言ったことを後悔するよ。渋沢部長の悔しそうな表情が思い浮かぶね」

「そんなこと言っちゃ駄目よ。渋沢部長を刺激しないことを考えましょう。食材移動ロボットをタカミネで製品化してもらえる可能性もあるんだし……」

突然、店の入口の扉が開いた。鈴木弁理士が戻ってきたのだ。見慣れない白いスーツを着込んでおり、胸のポケットからは赤いチーフが覗いている。かなり気合を入れてデートに臨んだようだ。

先ほどまでカウンターの上で眠っていたミケスケが頭を上げて大きなあくびをすると、首輪の鈴をチリンチリンと鳴らしながら鈴木弁理士に近づき、その顔を足元に押し付けた。

「おお、よしよし」

鈴木弁理士はミケスケを抱きかかえた。

ニヤニヤしながら玲が尋ねた。

「それで、どうだったんですか？　先生……」

続いて百合も尋ねた。

「まさか『拒絶理由通知』[*21]が出されたなんてことはありませんよね？」

「まずまずは成功かなあ……。最初、私はものすごく緊張していたんだけど、カリンさん、見てのとおり、とても気さくな人だからね。徐々にリラックスしてきて、最後はタメ口になってしまったよ。インテリジェンスもとても高くて、普通の女性がドン引きするような私のマニアックな話にも耳を傾けてくれてね。またデートしてくれるといいんだけど……」

麻衣が鈴木弁理士の顔を覗き込みながら言った。

「大丈夫ですよ。ちゃんとした人なら、先生の素晴らしさがわかると思います。きっとまたデートしてくれますよ」

ここでボクは、何となく気になっていたことを尋ねた。

「ところで、カリンさんって、何をされている方なんですか？　弁理士を目指しているってことは、法律系か技術系のバックグラウンドを持っている方でしょうかね？」

「工学系の大学院で研究者をしていたみたいだけど、不安定な雇用のこととか色々と考えるところがあって、メーカーに転職したんだそうだ。研修の一環として受けた知的財産法の講義が面白くて、弁理士資格に興味を持ったみたいだね」

「へえ、典型的なリケジョですね。ときたま英語を話すから英語の先生でもしている方かと思っていました。機械系とか電気系とか、専門は何なんだろう?」

「メカトロニクスだと言っていた。ロボットなんかも作っているみたいだよ」

それを聞いた麻衣が言った。

「あら? となると、ロボ研やタカミネのライバルかなあ……」

「ははは、そうかもしれないね。自分たちの仲間にするっていうのもありかもしれないよ」

「そうですね。今度、色々と意見交換できるといいなあ」

鈴木弁理士が右手を大きく上げた。

「百合さん、喉(のど)が渇いたから、お水を一杯もらえるかな」

「はいはい、少々お待ちくださいませ」

＊21　拒絶理由通知　特許庁の審査官が特許できないと考えた場合に、その特許できない理由(拒絶理由)を書面により出願人に知らせること。

百合が返事をするのと同時に、鈴木弁理士のスマートフォンがブルブルと震えはじめた。

「はい、弁理士の鈴木ですが……」

相手の話を聞いていた鈴木弁理士の顔色が瞬く間に青ざめていく。

「事情はよくわかりました。ただちにそちらにおうかがいします」


電話の主は、タカミネの伏見室長だった。ＲＩＫＯが搭載されたフルクックの新バージョンの販売にあたり、他社の知的財産権に関する最終チェックをしたところ、事業計画を修正せざるを得ないほどインパクトのある特許を見つけたというのである。

ボク、麻衣、鈴木弁理士の三人は、蒲田（かまた）にあるタカミネの東京本社へと向かった。

一階の受付で手続きを済ませ、会議室フロアでエレベーターを降りると、大会議室の中から渋沢部長の大きな声が聞こえてきた。

「だから私は反対したんです。あんなに急いで搭載しようとするからこんなことに……」

会議室の中に入ると、高峰社長、渋沢部長、伏見室長をはじめ、十数名のタカミネ社員が、書類を机の上に広げて議論しているところだった。高峰社長は前回にも増して疲れ切った表情をしていた。

部屋の中に入った鈴木弁理士が声を上げた。

「杉本製作所側のメンバーも参上しました」

伏見室長はホチキス留めされた特許公報*22をこちらに差し出した。

鈴木弁理士はそれを受け取ると直ちに目を通しはじめた。その眉間にしわが寄っていく。

「これは……」

絶句する鈴木弁理士に伏見室長が言った。

「これが見つからなかったのはタイミング的には仕方がないところもありますが、フルクックの新バージョンの発売前に見つけることができて幸いでした。もし発売後だったら、差止請求によって製造や販売の現場が混乱するのは不可避でしたし、損害賠償の支払いまでしなければならない可能性もありましたからね。それに、契約上は協議事項となっていますが、杉本製作所が補償をすることも実際問題として難しいでしょうしねえ……」

高峰社長が麻衣に向かって言った。

「申し訳ないけど、フルクックの新バージョンにはＲＩＫＯではなく、私たちの自社技術を搭載することにしました。今回のライセンスの話はいったん保留とさせてちょうだい。ソフトウェア入れ替えのための費用が多少かかるけど、今回はやむを得ない事情もあるか

＊22　特許公報　特許庁で発行される公報のひとつ。設定登録された特許情報を公開するもので、正式には「特許掲載公報」という。

ら、こちらの負担で構わないわ」

重苦しい空気がその場を支配した。

9

「次郎と義男、まだ来ないね」

ボクは壁に設置された時計を見ながら言った。

タカミネの東京本社を訪れた翌日、ボク、麻衣、鈴木弁理士の三人は、鈴木幸太郎知財事務所の応接コーナーにいた。パテカフェで玲に入れてもらったばかりのコーヒーを一緒に飲んでいる。机の上には、北海道のお菓子「黒い恋人」が入った箱が置かれている。鈴木弁理士のコレクションのひとつで、北海道旭川産の黒豆が練り込んであるらしい。ボクはそれをひとりでつまんでいた。鈴木弁理士と麻衣はミケスケをあやして時間をつぶしているが、待ちくたびれたボクは少しばかり苛立(いらだ)ってきていた。

突然、入口のチャイムが鳴った。鈴木弁理士がドアを開けると、飛び込んできたのは次郎だった。どうやらひとりだけのようだ。

「あれ？　義男はどうしたの？」

ボクが尋ねると、次郎は困ったような顔をしながら答えた。

「それが、行方不明なんよ。ケータイに電話しても全然出てこんし……。仕方ないから、わしひとりで来たんや」

時間に遅れたのは義男を探していたからとの説明である。

鈴木弁理士はホチキス留めされた特許公報を次郎に差し出した。昨日、伏見室長からもらったものである。

「タカミネから情報提供があった最新の特許公報だ。とりあえず読んでみてくれないか？」

次郎は特許公報をパラパラとめくると、すぐに口を開いた。

「なんや、これ？　書かれ方はちょっと違うけど、内容はＲＩＫＯと同じじゃないか！」

驚くのも無理はない。そこに書かれているのは、ボクたちが年初に出願したＲＩＫＯの技術そのものだったからである。

「そのとおり、ＲＩＫＯとほぼ同じ内容だ。また、今日になってから麻衣さん個人宛てに、ヨドビク電機・横浜店で行っている実演が特許権侵害[*23]であるという文書が内容証明郵便で

＊23　特許権侵害　何の根拠も正当な理由も持たない第三者が、特許権者に無断で事業として特許発明の実施等をすること。特許請求の範囲の記載に基づいて定まる特許発明の技術的範囲に属するか否かで判断される。

送られてきた。ただちに実演を中止せよ、さもないと損害賠償を請求するぞ、という警告書だよ」

鈴木弁理士は左手で一通の封筒を持ち上げた。その表面の下の方には、ゴロテックのロゴと連絡先情報が書かれていた。

「ゴロテックやて？　パクリ専門のあいつらが警告書を？」

次郎は手持ちの特許公報のフロントページに戻り、記載された書誌(しょし)情報[*24]を凝視した。

「たしかにゴロテックの特許や……。発明者は、ニワナオト、ハナワツカサ、やと……。ニワナオト言うたら、テレビでよく見かける電波芸人やん」

次郎の言うとおり、発明者の欄には「丹羽直人」「花輪司」という名前が書かれている。

丹羽直人はゴロテック創業者である丹羽実の孫にあたる。丹羽実は、現在、主にシンガポールで暮らしているらしく、孫の直人が東京本社の実質的な責任者になっていると聞いた。直人の父親については、産業スパイをしていた際に事故死したという噂がネットで流れたこともあるが、真偽のほどは定かではない。

いずれにしてもゴロテックのイメージは最悪で、丹羽直人は同社にとって救世主的な存在とみなされているようだ。私学の雄として知られる慶明大学の現役の大学生ながら同社の専務を務めており、ファッションモデルのようなイケメンぶりから、メディアで取り上げられることも多い。会社を挙げてパクリ企業のイメージを少しでも改善しようとしているのは明らかで、実際に、丹羽直人の露出により世間における従来のゴロテックのイメージも変わりつつあった。

また、ゴロテックのホームページによると、花輪司というのは、同社の研究開発部長のようだ。昨年の秋に就任したらしい。

次郎が当惑した表情で言った。

「あの電波芸人が、ハナワっちゅう奴とグルになって後出ししてきたんやないの？」

残念ながら、時系列的にはゴロテックの出願は後出しではない。そのことをボクは次郎に説明した。

「ＲＩＫＯが特許出願されたのは今年の一月九日だけど、ゴロテックの出願日は一月八日なんだ。向こうの方が一日早く出願を完了していたことになる」

「ほんまか？　何で今まで気がつかなかったんや？」

この疑問には鈴木弁理士が答えた。

＊24　書誌（しょし）情報　出願番号や公開番号のほか、出願人、発明者、代理人などその特許にかかわった人や団体に関する情報、その技術内容を表す国際特許分類をはじめとした分類記号などの情報の総称。

「特許公報が発行されたのが、つい数日前だったからさ。出願審査請求[*25]に併せて早期審査[*26]が申請されたこともあって、わずか数カ月間で審査をクリアし、特許公報が何の前触れもなく発行されたんだよ。あまりにも早く特許になったことから、今回は出願公開もされていない」

「ちょいと待ってくださいな。ほんなら、先生に出してもらった出願はどうなるんですか?」

「少なくとも、ＲＩＫＯについてはゴロテックの出願よりも後の日の出願となっているから、同じ内容の権利を取ろうとしても、後願として拒絶される。これを先願主義というんだ。あと、明細書の内容がほぼ同じで、その内容が今回特許公報として公開されたから、特許請求の範囲を補正したとしても拒絶されることになるだろう。残念ながら、ＲＩＫＯの出願を特許化するのは相当難しい」

「ち、ちょっと待ってくれや、先生！『私は権利化できない依頼は引き受けない』っていう話は嘘やったんか?」

鈴木弁理士は悔しそうに答えた。

「ここまでそっくりな先願が出てくるなんて、想定外だ」

「本当に、この電波芸人が、たまたま同じ発明をしたんやろか?　こっちの発明を盗んで勝手に出願したってことはないんかな?」

鈴木弁理士が一枚のリストを机の上に置いた。

「丹羽直人は現役の大学生ながら、数十件の特許出願の発明者になっている。ロボット関連では、ドローン、ミニ潜水艦、ロボットスーツなど幅広い。それに、ゴロテックは最近、無名のスタートアップ企業をグループに迎え入れたり、博士号を取った後も苦境にあえいでいる若手研究者を積極的に採用したりしていて、その動きに伴って特許出願の数も増加傾向にある。パクリ企業として悪名高いけど、まっとうな方向に進もうとしているのかもしれない」

「ほんなら先生は、偶然の一致で、丹羽たちがまったく同じ発明をしたと……」

「明細書や図面の書きぶりが異なっているしね。もちろん、盗んだ発明をわざとそのように書き換えている可能性もあるけど、たまたま同じ発明をしたという可能性も捨てきれないように思う」

次郎が首をひねりながら尋ねた。

＊25　出願審査請求　特許出願について特許を受けられるかどうかの審査を特許庁に対して請求すること。出願日から三年以内に行わないと、その特許出願は取り下げたものとみなされる。

＊26　早期審査　一定の要件の下、出願人からの申請を受けて審査を通常に比べて早く行うこと。

「仮にそうだとしても、こちらが先に発明していた可能性もあるんやないですか？　その場合、何か権利は主張できないんですか？」

鈴木弁理士は深刻そうな表情で答えた。

「さっき言った先願主義があるから基本的に無理だ。先に出願した者勝ちとなるからね。『先使用権』[*27]を主張できる場合もあるけど、それは相手が出願した時点で、すでに事業をしているときやその準備をしているときだ。正直、今回のケースではその主張は難しいと思う。というのも、ゴロテックが出願した時点では、みんなはロボ研の活動、つまり一種の趣味として取り組んでいたわけで、何らかのビジネスやその準備をしていたわけではないからね」

麻衣が首をかしげながら話しはじめた。

「私の個人的な考えですけど、ここまでそっくりな発明が、同じ時期に偶然出てきたとは思えないです。やはり丹羽がＲＩＫＯの情報を盗み出して出願したんじゃないかと……。じつを言うと、私、丹羽直人とは同じ高校の同級生なんです。彼の家族は、祖父を筆頭に全員でパクリをする『パクリ家族』って呼ばれていました」

「万引き家族ならぬ、パクリ家族？」

「そうです、パクリ家族です。私、一度、クラスのみんなと一緒に彼の自宅に遊びにいったことがあるんですけど、それが単なる噂ではないことを思い知りました。白物家電とＡ

Ｖ機器がすべて怪しげなゴロテック製品であることは仕方がないとしても、ＤＶＤは全部違法コピーでしたし、棚に飾られていたブランド商品もすべて海賊版でした」

「なるほど。悪質すぎて映画にもならないね」

「それに、彼自身、当時からどこかで聞いたことのある名ゼリフばかり口にしてましたし、色々な人のアイデアを盗んでばかりいました。あの男なら、他人の発明を盗んで自分の発明として特許出願することも、じゅうぶん考えられると思います」

次郎が腑に落ちない表情で尋ねた。

「でも、どうやってＲＩＫＯのアイデアを盗んだんや？　ロボ研の部室やガンラボの社屋で情報を抜かれたんやったら、こっちでも気づくやろう。ロボ研でカギを壊されたってことはないか？」

「それはないわ。それよりも、新年早々、ガンラボに御木本喜太郎が入り込んだ事件があったわよね。彼はＲＩＫＯに興味を持っていたみたいだし、そのときに盗まれたってことはないかしら？」

＊27　先使用権　他人が特許出願をした時点で、その発明の実施である事業やその準備を行っていた場合に、一定の要件を満たすことを条件に、その事業を無償で継続できる権利。

次郎が首を振りながら答えた。

「それはあり得んな。奴が一階をうろついたところで、情報を抜くようなことはできん。奴には念のために秘密保持契約にサインさせたけど、そもそも秘密情報は二階の研究室ですべて管理しておるし、二階は自分と義男のふたり以外は中に入れんようになっとる。ん？　ということは、義男から漏れた？」

鈴木弁理士が口を開いた。

「そのあたりの可能性も含めて義男君にも話を聞きたかったんだ。行方不明とは困ったものだね」

次郎が顔を歪めながら答えた。

「じつは、給料の交渉をしとったんやけど、話が全然折り合わんかったから、転職活動でもしとるのかもしれんな」

麻衣が次郎を睨みつけながら言った。

「あなたが自分のことしか考えないからよ。従業員を不幸にするなんて経営者失格ね」

次郎が声を荒らげて反論した。

「おまえ、何言うとんねん。経営には厳しさが必要や。会社がつぶれたら元も子もないやろ」

「それはそうだけど、働いている人が幸せなのが一番なんじゃない？」

「やっぱりおまえは甘いのお……。わしの親父はな、昔、神戸で工場を経営しておったんやけど、従業員に大盤振る舞いしすぎたせいで工場はつぶれたんよ。その後に乗り込んできた奴が従業員を皆クビにしてな……。それからわしらの家族は十年以上も大阪の親戚のところで世話になったんや。結構しんどかった。結局、両親を置いて佐和子とふたりで横浜に出てきたけどな。佐和子が一切関西弁を喋(しゃべ)らんのは、昔のことを思い出したくないからや」

「私だって、おじいちゃんが会社経営で苦労していたから、その辛さはわかるわよ！」

気まずい雰囲気になったところで、鈴木弁理士が次郎の手から特許公報をつまみ上げた。

「次郎君、話は変わるけど、丹羽直人と義男君は、以前から知り合いだったのかな？　義男君が丹羽直人に自ら発明の内容を話したってことはないかな？」

「ふたりの関係について思い当たることはないです。ただ、ひとつ言えるのは、義男は人一倍プライドの高い男やから、自分の発明が他人名義で特許になるなんて許せんはずです。そやから、義男が意図的に発明を漏らしたことはないと思っとります」

麻衣は両手で頭を抱えながら鈴木弁理士に尋ねた。

「先生、いったいどうすればいいんでしょうか？」

「まず、麻衣さんの言うように、ゴロテックの特許がＲＩＫＯの情報を盗み出して出願されたものであれば、それは『冒認(ぼうにん)出願』*28という不正な出願だ。その場合、ひとつの選択肢として、『特許無効審判』[*29]を請求することができる。本来特許にしてはいけないものが誤って特許になっている場合に、その証拠を特許庁に示すことで、瑕疵のある特許を初めからなかったことにする手続きのことだ。もうひとつの選択肢として、『特許権移転請求』[*30]の裁判を起こして、相手の特許を自分の特許として取り戻すことも可能だ」

「なるほど。冒認出願であることは間違いないでしょうから、そのどちらかですね」

「ただし、いずれの場合でも、まずは流出ルートを特定する必要がある。その証拠を見つけ出すことができなければ、どうにもならないということだ」

「それ以外にも取り得る手段はあるんでしょうか?」

　鈴木弁理士は太い眉毛を上下させながら答えた。

「そうだね。ゴロテックの特許に新規性がない、つまり、新しいものでないことや、進歩性がない、つまり、公知の技術から容易に発明できたものであることを主張するアプローチを取ることもできる。具体的には、特許公報の発行日から六カ月以内であれば、『特許異議の申立て』[*31]をして特許庁にゴロテックの特許を取り消してもらうよう働きかけることが可能だ。その後であっても無効審判を請求することはできる」

「新規性や進歩性がないことをどうやって証明するんですか?」

「一般的には、先行技術調査といって、その特許の出願前に知られていた技術を記載した文献なんかを集める」

「それって、見つかりそうなんでしょうか？」

「それは何とも言えない。ゴロテックの特許はこちらが出願したＲＩＫＯとほぼ同じものだからね。当時私が行った先行技術調査では、新規性や進歩性を否定するものは一切出てこなかった。これから調査範囲を広げて、論文誌、業界誌、製品マニュアルなどについても細かく調べていくけど、有力な証拠が出てくるかどうかはわからない。それに、このアプローチでうまくいったとしても、こちらが出願したＲＩＫＯ自体も特許にできなくなってしまう点に注意が必要だ。ＲＩＫＯにも新規性や進歩性がないということになるからね」

麻衣は封筒の中から警告書を取り出しながら言った。

「回答期限は二週間後か……。全然時間がないですね」

ここで突然、次郎のスマートフォンが鳴った。

「はい、もしもし……。え、義男が？　ど、どこの病院ですか？」

どうやら義男が交通事故に遭（あ）ったようだ。

＊28　冒認（ぼうにん）出願　出願する権利のない者が出願して権利を得てしまうこと。

＊29　特許無効審判　特許を無効にすることを目的とする審判。利害関係人のみが請求できる。

ボクたちはタクシーを使って義男が運び込まれた病院へと直行した。

集中治療室の前までやってくると、すでに到着していた百合と佐和子がうなだれた様子で待合用ベンチに腰かけていた。百合は珍しくパテカフェのアルバイトが休みだったので、自宅から病院に直行していたのだ。佐和子は目に涙を浮かべながら次郎に抱きついた。義男はすでに意識不明の重体に陥っているという。

病院と警察の話を整理すると、義男は第二京浜国道を原付バイクで東京方面に走行中、突然、横の路地から飛び出してきたミニバンに跳ねられたらしい。ミニバンの運転手の信号無視が原因であることから、義男には非はないという。

事故に遭った際、義男のリュックサックには、ゴロテックの入社面接、それも最終面接の案内状が入っていたという。その日時から考えて、東京・大崎のゴロテックの本社に向かう途中で事故に遭遇したらしい。義男がかなりの不満を抱えてガンラボで働いていたのは間違いないが、まさかゴロテックへの転職を考えていたとは……。

もちろん、そんなことより、今もっとも心配しなければならないのは義男自身の容態の方だ。病院の医師によると、今後回復するかどうかは、しばらく様子を見なければわからないという。決して絶望的な状況というわけでもないという説明には希望が持てた。

遠目に義男の姿を見ることを許された。義男は体の各所を包帯で巻かれ、身動きもせず横たわっている。百合は人目もはばからず泣き叫んだ。麻衣も肩を震わせながら泣き崩れた。

10

二週間後、ボクと麻衣は大崎駅で山手線を降りた。駅の構内には、お手伝いロボット選手権で応援に来ていた大崎一番太郎とノン子のポスターが大きく貼り出されている。麻衣が話していたとおり、この二体は宮城でもデビューを果たしたのだろうか？

ペデストリアンデッキを降りて、目黒(めぐろ)川沿いを歩きはじめた。例年より遅れて満開となった桜も、さすがにかなり散ってきている。義男の容態はまだ回復しておらず、麻衣は落ち込んだままだ。

ふと見上げると、川沿いに聳(そび)えるガラス張りの十四階建てのビルが目に入ってきた。ゴロテックの本社ビルだ。山手線の車窓から目にすることはあったが、近くから改めて見る

＊30　特許権移転請求　自分の発明を無断で出願された場合に、真の権利者が冒認出願によって得られた特許の権利者に対して、自らに特許権を移転するよう請求すること。

＊31　特許異議の申立て　特許公報の発行から六カ月間、特許付与に対して公衆が異議を述べることができる制度。

と、壁面の各所に曲面が取り入れられた独特なデザインをしている。

ビルの入口では鈴木弁理士が待ち構えていた。

「中に入ろう。義男君のことが心配なのはわかるけど、気持ちを切り替えて今日は臨もう」

鈴木弁理士はそう言うと、入口のドアから躊躇なく中に入っていった。

内部は大きな吹き抜け構造となっており、一階のロビーは想像以上に広々としていた。

エレベーターホールの前に総合受付の机があり、制服を着た女性がふたり座っていた。

ロビーの中央には横長のソファが複数置かれており、それを取り囲むように最先端の家電やロボットが点在している。さながらショウルームのような雰囲気だ。悪名高いパクリ企業がこんな立派な展示をしているとは思いもよらなかった。

鈴木弁理士が受付で名前を告げると、しばらくして、紫色のスーツ姿の女性が現れた。同じく紫色の口紅を塗った厚めの唇がロビーの照明を反射してテカテカと光っている。

「どうぞ、こちらへ」

その女性は表情を一切変えることなく、ボクたちをエレベーターホールへと案内した。全員がエレベーターに乗り込むと、最上階である十四階のボタンを押した。途中の階に止まることなく、エレベーターはそのまま目的の階に到着した。

役員フロアらしく、廊下には赤い絨毯が敷き詰められている。ボクたちがその上を歩いているると、前方からスーツを着たふたりの白人男性が近づいてきた。ゴロテックの役員とのビジネス交渉に来た外国企業の人間だろうか？　しばらく直進し、木製の重厚な扉の前にきた。扉の横には「専務室」と書かれたプレートがある。女性は軽くノックをしてから重そうな扉をゆっくりと押し開けた。

「お連れしました」

「ようこそ。入りたまえ」

部屋の主の声が聞こえた。

鈴木弁理士と麻衣に続いて中に入ると、外側から扉が閉まった。

専務室は広々としている。家具はあまり置かれておらず、高級ホテルのスイートルームのような雰囲気だ。窓側に大きな机があり、その奥の椅子に腰かけていた男性が立ち上がった。

テレビ画面で何度も目にしたことのある丹羽直人その人だ。身長百八十センチメートルはある長身で、顔もスタイルも整っており、ボリューム感のある髪は整髪料でしっかりと固められている。高級そうな濃いグレーのスーツを着ており、まるでファッションモデルのようだ。テレビ局が喜んで出演させるのも無理はない。

丹羽は窓際にある応接コーナーのソファに座るようにボクたちを促すと、自らも着席して話をはじめた。大きな窓から下を望むと、散った桜で周囲がピンク色に染まった目黒川がよく見えた。

丹羽はにっこりと微笑むと、軽く会釈した。

「ご来社いただき感謝いたします。特に、麻衣さんとは高校卒業以来だね。ますます美しくなって……。ここで再会できたとは、我々は運命の赤い糸でつながっていると考えて間違いないようだね」

いきなり口説きはじめた。いったい何を考えているんだ？

麻衣が不愉快そうな表情で答えた。

「そんな赤い糸があれば、私が大きなハサミでジョキジョキ切っちゃうんで」

「ほほう。それは残念だな。せっかく君を迎え入れることができるだけの男になったというのに」

「何を言うのよ。高校時代にパクリばかりしていたあなたが……」

「ふふふ。認めたくないものだな。自分自身の、若さゆえの過ちというものを」

どこかで聞いたことがあるようなセリフだ。いずれにしても完全なナルシストだ。

丹羽は両腕をソファの背もたれの上に沿って左右に伸ばした。

「用件を単刀直入に言わせていただきましょう。警告書にも書かせていただいたとおり、麻衣さんたちは我々の特許権を侵害しています。該当特許は、我々の『ゴロテック・レコグニション・システム』、通称『GRS（ジーアールエス）』に関するものです。GRSは、様々な食材を高精度で認識できることを特徴とした技術です。現在、ヨドビク電機・横浜店で麻衣さんたちが有償で行っている実演は、ＧＲＳ特許を侵害するものですので、その即時中止を要請します」

しばらく沈黙が流れた後、丹羽が鈴木弁理士に迫った。

「どうですか、鈴木先生？」

ずっと斜め下を向いていた鈴木弁理士は顔を上げると、こう答えた。

「麻衣さんたちが使っている食材認識技術は、外から見ただけではどんなものかわかりません。どうしてＧＲＳ特許なるものを侵害していると考えられたのでしょうか？　単なる憶測で警告書を送られてきたのだとしたら、それこそ大変なことと思いますが……」

丹羽は不敵な笑みを浮かべた。

「麻衣さんたちがヨドビク電機で行っている実演を通じて、我々はそのことを確信しました。我々は三週間にわたって毎日、実演がなされている店舗に客として食材を持ち込み、計一〇〇三個の食材を試しました。麻衣さんたちのライオン型ロボットは、我々が持参した食材のうち、九八九個を正確に認識しました。しかしながら、一四個ほど不正解だったのです。我々のＧＲＳを使ったときも、まったく同じ結果でした。不正解だった食材のそれぞれに、ＧＲＳの特徴ゆえの、誤認識しやすい傾向がありました。同じ技術が使われていることは、まず間違いないでしょう」

鈴木弁理士は動ずることなく話しはじめた。

「なるほど。御社が警告書を送られてきた背景がわかりました。その検証結果だけで、麻衣さんたちの食材認識技術が、ＧＲＳなるものと同じとは言い切れないように思います。ですが、警告も受けたことですし、さしあたり現状のデモは一時中断し、既存の認識技術に置き換えたうえで実施することなどを検討します。それならば、問題ありませんよね？」

丹羽は前方に身を乗り出した。

「そうしていただけるのであれば、問題ありません。ですが、せっかく素晴らしい実演をなさっているのに、もったいない。それと、麻衣さんたちが食材認識技術を他社にライセンスしようとしているという情報も耳にしました。そちらの方はどうするのですか？」

鈴木弁理士は微塵（みじん）も慌てることなく、涼しげな表情で答えた。

「ほお、いったい、どこから聞いたお話でしょうか？」

たしかに、その点は気になる。業界での噂はすぐに伝わるものなのかもしれないが……。

丹羽は口元を歪（ゆが）めながら話しはじめた。

「ふふふ、まあ、いいでしょう。いずれにしても、このままでは麻衣さんたちも困るのではないですか？　ところで、例のＳＴＥＰという技術についてですが、あれはもちろん特許出願をされているのですよね？」

鈴木弁理士は意外そうな表情で答えた。

「ええ、そのとおりですが……」

丹羽は薄笑いを浮かべながら言った。

「やはり。そういうことでしたら、ひとつご提案があります。弊社のＧＲＳと麻衣さんたちのＳＴＥＰとをクロスライセンス[*32]しませんか？」

麻衣が驚いたように目を見開いた。

「クロスライセンスって……」

鈴木弁理士が丹羽に尋ねた。

「つまり、ＧＲＳとＳＴＥＰとを互いに自由に使えるようにするということですか？」

「そのとおりです。麻衣さんたちは現行の食材認識技術を問題なく使い続けることができますし、何のデメリットもありませんよ。特許として成立しているＧＲＳと、出願中にすぎないＳＴＥＰとのクロスライセンスです。今後発生するＳＴＥＰの権利化や外国出願[*33]に

＊32　クロスライセンス　自らの持つ特許権などを互いにライセンスし合うこと。

＊33　外国出願　自国以外の国に対して行う出願手続きのこと。日本の特許庁から得られる特許権の効力は外国には及ばないため（属地主義）、外国でも権利を得たい場合、国ごとに特許出願をする必要がある。「パリ条約」や「特許協力条約」などに基づいた手続きを利用する。

かかる費用も、こちら持ちで構いません。条件的には申し分ないと思いますが……。ハウゼンのコンペにも出るんでしょう？」

そのことまで知っているのか。まあ、コンペの開催自体は広く知られている事実だし、技術的な親和性を考えれば、麻衣がコンペに出場しようとすることは誰にでも想像できそうなことではあるが……。

それにしても、丹羽はタカミネが不要と言っていたＳＴＥＰに関心があるのか。いったいどういうことだろう？　考え方によっては、ライセンスする当てのなかったＳＴＥＰをライセンスする代わりに、従来どおりＲＩＫＯが自由に使えるというのなら、それほど悪い話ではない。

鈴木弁理士が太い眉を眉間に寄せながら丹羽に尋ねた。

「御社では、ＳＴＥＰを何に使われるおつもりですか？」

丹羽は笑いながら答えた。

「ははは、それは企業秘密ですよ」

鈴木弁理士は丹羽の目を見ながら言った。

「なるほど。いずれにしても、この場で即断はできかねますので、とりあえずこの話は持ち帰らせてください」

「麻衣さんたちにとっても悪い話ではないと思いますよ。クロスライセンスに応じてもらえるかどうか、早めにお返事がいただけるとありがたいですね。検討する時間が必要なのはわかりますが、我々もいつまでも待ち続けることはできません。クロスライセンスに応じていただけるかどうかの回答期限は、異議申立ての期限でもある十月一日でいかがでしょうか？」

「十月一日ですか……。わかりました。それでは、これにて失礼いたします」

鈴木弁理士が立ち上がったので、ボクと麻衣もそれに続いた。

ボクたちを見上げるかっこうになった丹羽が、麻衣の方を向いた。

「気が向いたら、いつでも気軽に連絡してきてほしい。僕はいつまでも君を待ってるよ」

結局、丹羽の最後のセリフは麻衣への口説き文句だった。

ゴロテックの本社ビルを出たボクたちは、目黒川沿いを大崎駅に向かって歩いていた。

「なんなの、丹羽の奴！　私たちから盗み取った技術で特許を取って、それを私たちとのクロスライセンスに使おうだなんて！　図々しいにもほどがあるわ。絶対に許せない！」

打ち合わせ中は発言を控えていた麻衣だったが、ついに怒りが爆発したようだ。彼女がここまで怒るのを見るのは初めてだ。それに、丹羽が発明を盗み出したものと完全に決めつけている。彼女の感情をここまで揺さぶる丹羽直人という人間も侮れない。

鈴木弁理士が顎（あご）に手を当てながら言った。

「とにかく、ヨドビク電機での実演は一時中断だ。タカミネもＲＩＫＯを搭載しないことに決めたし、とりあえず、ＧＲＳ特許を侵害する事態は避けられた」

麻衣が怒りの収まらない口調で言った。

「でも、インチキな特許のせいで私たちの活動が制約されるのは許しがたいです。ハウゼンのコンペには、ベラリオンをぜひ出したいと考えています。ただ、ＲＩＫＯが使えないとなると、勝てるものも勝てなくなってしまいます」

「麻衣さんは丹羽が提案したクロスライセンスに応じる気はないんだね？」

「もちろんです。それはあり得ません」

鈴木弁理士は両目を閉じて言った。

「それを前提にＲＩＫＯを使いたいのであれば、やはり、ＧＲＳの出願が冒認出願であったことを証明するか、ＧＲＳの新規性や進歩性を否定できる証拠を探し出すか、そのどちらかしかない。もっとも、ＲＩＫＯを封印して何らかの代替技術を使うという選択肢も考えられなくはないけどね」

麻衣は小刻みにうなずいていた。

11

「こんにちは。元気にしているかしら?」

　ロボ研の部室に姿を現したのは、タカミネの高峰春子社長だった。今日もどことなく疲れた様子だ。濡(ぬ)れた傘を軽く振ってから部屋の中に入ってきた。ちょうど梅雨時の七月初旬となっていた。

「わざわざ、こんなところまで足を運んでいただいてすみません」

　グレーの作業服姿のボクと麻衣が頭を下げると、高峰社長はニコッと微笑んだ後、部屋の中を見回した。窓の近くに置かれたパイプ椅子には、スーツ姿の鈴木弁理士がうなだれて腰かけていた。

「先ほど事務所にお電話したら、こちらにいらっしゃるとうかがって……。今日は土曜日だというのにお仕事お疲れ様です」

　高峰社長から声をかけられた鈴木弁理士は頭を上げると、軽く会釈して言った。

「それはお互い様ですよ。私の居所を聞いて不思議に思われたかもしれませんね。じつは、ゴロテックの特許が冒認出願であったことを証明するための調査をしているんです」

「それで、ここに?」

「はい。ＲＩＫＯの発明が何らかの形で流出したのだとすると、ひとつの可能性として、この場所からということが考えられます」

「何か見つかったのですか?」

「大学側の許可がようやく得られたので、先ほど、サークル会館の管理室の方に入口や廊下の映像をひと通り調べてもらいました。ですが、残念ながら、何者かが侵入した形跡はまったく見つかりませんでした」

「なるほど。それで落ち込んでおられたわけですね」

部屋の入口で突っ立ったままの高峰社長を、ボクはテーブルを取り囲む椅子のひとつに案内し、コーヒーを入れる準備をはじめた。

麻衣と鈴木弁理士は、高峰社長とテーブルを挟む形で椅子に腰かけた。

高峰社長はふたりを交互に見ながら話しはじめた。

「今日、こちらにうかがったのは、そのゴロテックの特許に関するご相談のためです。特許性を否定する証拠が何か出てきたかもしれないと期待していたのですが……」

鈴木弁理士が申し訳なさそうに言った。

「残念ながら、今のところ特に進展はありません。新規性や進歩性を否定するための先行技術調査も進めていますが、その進捗も芳しくありません」

高峰社長が遠慮がちに言った。

「じつは、ＧＲＳ特許のライセンスを受けることを、弊社では真剣に検討しています」

「それはまた……。フルクックには、自社開発した食材認識技術を搭載されたのですよね？　今になってゴロテックからライセンスを受ける必要はないのでは？」

「じつは、フルクックの新バージョンの上市後の評判が、あまりよくないのです。まず、食材の誤挿入を正しく検知できないケースがあることが報告されています。それに加えて、食材認識技術を使って自動的にカロリー計算する機能も付けたのですが、実際の値と比べて差が大きすぎるという指摘が多く出ています」

ボクは、出来上がったばかりのコーヒーを入れたカップをテーブルに置きながら尋ねた。

「でも、フルクックの新バージョンを市場に出される前に、間違った動きをしないかとか、きちんと検査をされたんですよね」

「もちろんです。認識エラーが発生する確率がかなり低いことは確認済みでした」

「でも、悪い評判が出ているなんて……」

「インターネットの口コミサイトでの悪口が加速度的に増えているんです。食材の誤認識やカロリー計算の間違いをあげつらうような投稿が、写真付きで大量に上げられるようになりました」

鈴木弁理士が高峰社長の顔を覗き込みながら尋ねた。

「ネット炎上に加担している人は、ネットユーザー全体の〇・五％にすぎないと言われています。誰が書き込んでいるのか、調査はなさいましたか？」

「はい。誹謗中傷などあまりにも悪質なものについては、発信者情報開示を請求しました。しかし、海外のサーバを経由して投稿者をわからないようにしていたことから、特定には至りませんでした」

「ほほう。単なる口コミ投稿にもかかわらず、そこまで凝ったことをしているとは……。御社を陥れるために意図的に書き込んでいると考えることもできますね」

「ええ。これまでも業界では同様の事例が発生しています。ゴロテックの競合企業がターゲットになることが多いことから、ゴロテックの仕業ではないかと噂されています。ですが、確実な証拠がありませんので、そのあたりは何とも……」

麻衣が不機嫌そうに言った。

「本当に、丹羽って最低の人間ですね。絶対に許せないわ」

相変わらず決めつけている。丹羽が裏で動いていると、まだ断定することはできない状況だ。

鈴木弁理士は高峰社長に尋ねた。

「それで、御社はどういった対策を取られるおつもりですか？」

「ＲＩＫＯを使った場合、現技術とは比較にならないほど認識エラーが減少します。もちろんゼロにはなりませんが、ネガティブな書き込みは相当減らすことができると思います。

カロリー計算の精度も相当上がるはずです。そこで、RIKOと実質的に同じであるGRSの特許のライセンスを受けることができるかについて、伏見室長からゴロテック側に問い合わせをしてもらいました」

「思い切ったことを……。相手側はどのような反応でしたか?」

高峰社長はいったん唾を飲み込んでから口を開いた。

「信じられないほど高額のライセンス料を要求されました。とても受け入れられないと回答したところ、ゴロテックは、麻衣さんたちがSTEPとのクロスライセンスに応じてくれれば、GRSの特許を無償でライセンスしても構わないと言い出したのです」

ここでまた、クロスライセンスの話が出てくるとは……。奴らはそんなにSTEPの技術が欲しいのか?

鈴木弁理士は腑に落ちなさそうな表情で言った。

「STEPが優れた技術であることは否定しません。ですが、今のところ、御社はもちろん、どの企業からもライセンスの希望を受けたことはありません。そういった事情もあることから、まだ審査請求すらしていないのです。ゴロテック側の意図が気になるところですね」

「はい。その点は私も気になりましたが、あの会社はどんどん業態を拡大していますから、何らかの新事業に使う予定なのでしょう。事情はどうあれ、我々としては、フルクックの食材認識技術を早急にRIKOに切り替えたいのです。そのためには、それと実質的に同じであるGRSの特許のライセンスを受けることが不可欠です。ゴロテックとのクロスライセンスに応じていただくことは可能でしょうか？」

鈴木弁理士が高峰社長の目を見つめながら言った。

「御社のご意向はよくわかりました。ですが、先ほどご説明したとおり、技術流出のルートを特定し、ゴロテックの特許が冒認出願であることを立証するための活動はまだ道半ばです。もう少しお時間をいただけないでしょうか？」

「承知しました。いつ頃までにご回答いただけますか？」

「ゴロテックは、クロスライセンスに応じるかどうかの回答期限として十月一日を指定してきました。それまでの間、つまり、あと三カ月ほどお待ちいただけないでしょうか？」

「三カ月ですね。わかりました」

高峰社長はゆっくりとうなずいてから立ち上がった。

ボク、麻衣、鈴木弁理士の三人はサークル会館の入口まで高峰社長を見送りにいくことにした。建物の外は、しとしとと雨が降り続いている。高峰社長は傘を開くと、こちらに手を振りながら去っていった。

部室に戻ると、鈴木弁理士がボクと麻衣に向かって話しはじめた。

「情報の流出源として考えられるのは、ロボ研の部室、私の事務所、ガンラボの研究室、この三カ所だ。まず、それぞれの場所にあるパソコンを調査したけど、一切問題はなかった。また、やり取りした書類にはパスワードを二重に設定したし、他の人が覗き見るリスクを考えて、発明者がスマートフォンやタブレット型端末を使って閲覧することや、部屋の外に印刷物を持ち出すことも厳しく禁じた。全員がルールどおりに動いていたことを前提に考えると、ロボ研の部室、私の事務所、ガンラボの研究室、このいずれかに何者かが侵入した可能性について検討する必要がある」

麻衣が鈴木弁理士に言った。

「ロボ研の部室については、侵入者がいた形跡はまったくなかったということですよね」

「ああ、管理室の方の話では、出願準備から出願完了までの間に出入りしたのは、麻衣さんと裕君のふたりだけだったそうだ。次郎君と義男君はガンラボに籠もっていたとして、百合さんはこちらに顔を出さなかったんだね?」

「はい。先生もご存じのように、百合ちゃんは年末年始はパテカフェでほぼ毎日働いていましたからね」

「そうだね。あそこまで熱心に働く必要もないと思うんだけど……」

「百合ちゃんにとっては、生活のために必要なんですよ。ああ見えて彼女は苦学生ですから……。プログラミングの勉強に続いて弁理士試験の勉強をはじめたのも、模倣品の裁判に興味を持ったことがきっかけですけど、動機はそれだけじゃないんです。百合ちゃんのお母さんはシングルマザーとして苦労されてきたんですよ。文学少女だった百合ちゃんも、大学に入ってから、何かしら生計を立てるのに役立つスキルを身につけたいと考えたようですね。ああ見えても、あの子、とても真面目だから……。ゴシックロリータ系の服装やメイド服は、辛い部分を他の人に見せないようにするための戦闘服なんですよ」

「そうだったのか。もっと優しく接してあげればよかったかな」

ボクも百合の家庭の事情は知らなかった。百合が「専業主婦」という言葉に過敏に反応したことがあったが、働きづめだった自分の母親と対比して思うところがあったのだろう。

「話が脱線しちゃいましたね。これでロボ研の部室の可能性はなくなりましたが、先生の事務所はどうでしょうか？」

鈴木弁理士が右手で頬を掻きながら答えた。

「その可能性はない。事務所周辺の映像を解析したけど、不審な記録はなかったからね」

麻衣が怪訝そうな表情で尋ねた。

「可能性を完全に否定できますか？」

「ああ。麻衣さん、裕君、そして次郎君が来て以降、出願書類の準備期間中に、事務所への来訪者はひとりもいなかった。それに加えて、事務所に何者かが侵入した形跡は見当たらなかったし、パテカフェと事務所の間で情報は完全に遮断している。事務所の中には玲さんがたまに入ってくるけど、彼女が情報を盗み出したというのも考えにくい。私がいない時間帯はパソコンの電源を落としているし、書類もカギ付きの棚に入れているからね」

　麻衣が遠慮がちに尋ねた。

「ミケスケはどうですか？」

「ミケスケ？」

「ミケスケは自由にパテカフェと事務所の間を行き来していましたよね。ネコであるミケスケ自身が情報を盗み出すことはあり得ませんけど、首輪や鈴に細工がされていたとしたら……？」

「出願書類を盗撮するためのカメラが仕掛けられていた可能性を考えているのかな？」

「はい、そうです」

「その場合は、誰の仕業だろう？」

　麻衣は言いにくそうに答えた。

「お店の常連の方でミケスケと接触時間の長い方ではないかと……」

　鈴木弁理士が麻衣を見つめながら言った。

「カリンさんを疑っているんだね？」

「はい……」

　麻衣がうなずくと、鈴木弁理士は質問を投げかけた。

「玲さんや百合さんの可能性を考えてはみなかったのかな？」

「もちろん一度は考えました。ですが、お姉ちゃんも百合ちゃんも機械が苦手ですから、盗撮用のカメラを仕掛けるようなことができるとは思えません。それに対して、工学系の知識があるカリンさんであれば難しいことではないと考えました」

「なるほど。たしかに、あのふたりはナデシコの初期設定すらできなかったからね」

「最近、先生がカリンさんと正式にお付き合いをはじめられたと聞きました。好きな方のことを疑いたくない気持ちはわかりますが……」

何回かのデートを重ねた後、鈴木弁理士はカリンに結婚を前提に付き合ってほしいと告白し、ＯＫをもらったばかりだったのだ。玲と百合から話はすぐに伝わってきていた。

鈴木弁理士は麻衣の顔を見つめながら答えた。

「じつは、私もその可能性について考えてみた。情報を盗み出すために私に近づいたのかもしれないってね……」

「ミケスケの首輪と鈴は調べられたのですか?」

「ああ。首輪と鈴に特に異常はなかった。そもそもの話として、仮に犯人がミケスケの首輪か鈴に盗撮用カメラを仕掛け、私が確認する前にそれを回収していたのだとしても、出願書類を盗み見ることは不可能だ。事務所の中でミケスケは落ち着きなく動き回っているから、パソコン画面に表示された内容や、プリンターから印刷された内容を盗撮することができたとしても、撮影可能な範囲は全体のごく一部となってしまう」

「電気刺激を与えるなどして、ミケスケを自由自在に操っていたとしたら？」

鈴木弁理士が呆れたように言った。

「麻衣さん、本気でそんなことを言っているの？　もし技術的にそんなことが可能だとしても、ミケスケが怪しい動きをしていたら、私が気がつかないはずがない。それに、さっきも言ったように、私が不在のときは、パソコンの電源を落としているし、書類もカギ付きの棚に入れている。仮にミケスケが操られていたとしても、情報を盗み出す術はない」

麻衣は納得したように頷いた。

「なるほど。私の考えすぎみたいですね。失礼しました」

鈴木弁理士は微笑みながら言った。

「謝らなくてもいいよ。あらゆる可能性を検討することは重要だ。ちなみに、ミケスケを使った盗撮の可能性について、馬鹿正直にカリンさんにも聞いてみたんだ。そうしたら、今私が言ったのとほぼ同じロジックで、技術的にあり得ないと論破されてしまったよ。本当に頭のいい人だ」

ボクは鈴木弁理士に向かって言った。

「残る可能性は、やはりガンラボだけとなりますね」

「そういうことになる。今からガンラボに向かおう」

外に出ると雨が激しくなっていた。雨脚が強まる中、ボクたちは急ぎ横浜駅方面へと向かった。

12

ボク、麻衣、鈴木弁理士の三人は、雨の降りしきる中、ポートサイド公園の横を足早に歩いていた。ボクと麻衣はグレーの作業服のままだ。麻衣の胸ポケットに入った奥羽ずん太もその頭を濡らしている。出発前に着替えようとしたものの、「どうせ雨に濡れるんだから」と麻衣に言われ、そのままの格好で出てきたのである。

ガンラボに到着し、鈴木弁理士がインターホンを押すと、入口の扉が開いた。

「鈴木先生、お待ちしておりました。麻衣さん、裕さんも、どうぞ上がってください」

佐和子がいつもの屈託のない笑顔でボクたちを招き入れた。

「急に押しかけてしまってごめんなさいね」

麻衣が申し訳なさそうに言った。

入口近くの応接室に通してもらうと、早速、佐和子がお茶を出してくれた。

「まだ、お兄ちゃんが戻ってきてないんですよ。ちょっと前に『今から戻る』って電話があったから、もう少しで帰ってくると思うんですけど……」

麻衣は労うように佐和子に話しかけた。

「佐和子ちゃん、最近調子はどう？　去年から今年の頭にかけて、御木本喜太郎のストーカー行為で、かなり精神的に参っていたわよね」

「そちらの方は、もう大丈夫です。あの方は年始に現れて以降、一度も姿を見せていません。私のことはあきらめてくれたみたいです」

「それはよかったわ。でも、義男君が事故に遭ってから、次郎に相当こき使われていると聞いているわよ」

「こき使われているっていうほどではありませんよ。最近は社用車の運転までさせられていますけど……」

「まあ、可憐（かれん）な乙女にトラックの運転をさせるなんて、次郎も罪深いわね。振り回されっぱなしで大変でしょ」

「いえいえ。毎日が新しいことの発見で、結構楽しんでいますよ」

「まったく不満はないの？　義男君は結構悩んでいたみたいだけど……」

「さすがに、すべてに満足しているなんてことはないですよ。あえて言えば、お兄ちゃんの作るものが、家庭、学校、職場とかで使うものばかりで、ちょっとスケールが小さいことくらいでしょうか？　色々な社会問題を直接解決するロボットが欲しいなあって考えることは結構あります」

「へえー、さすがボランティア活動を熱心にしているだけのことはあるわね。あの御木本喜太郎も、佐和子ちゃんのそういう神々(こうごう)しい姿に魅力を感じたのかもね」

「神々しいだなんて、それは言いすぎですよ。陸上競技で活躍することができなくなって、ボランティア活動に転向しただけですから……。私はただ逃げただけです」

「何言ってるのよ。そんな風に自分を卑下してはいけないわ。高校の校庭で練習に励んでいた佐和子ちゃんも、今の佐和子ちゃんも、どちらも素敵よ。将来は政治家になるといいかもしれないわね。私、必ず投票してあげる」

ここで、入口の扉が開く音が聞こえた。待ちに待った次郎の到着だ。

「いやあ、待たせてしもうた。バタバタしておると、どうも時間が守れなくてなあ」

次郎が頭を掻(か)きながら中に入ってくると、鈴木弁理士は次郎に近づいて口を開いた。

「現在、ゴロテックのＧＲＳ特許が冒認出願であったことを証明するための調査を進めている。その調査の一環として、先日、ガンラボの監視カメラの映像に不審者が映っていないか調べてくれるよう君に頼んだよね。その結果を知りたいんだ」

次郎がうなずきながら答えた。

「ああ、あの件ですね。すべての映像を調べましたけど、不審者なんて映っておりまへんでしたよ。そもそも、特許書類は二階の研究室から外に出たことは一度もあらへんし……」

「研究室の中に入ったのは、次郎君と義男君のほかには誰がいるかな?」

「麻衣、裕、百合の三人です。ベラリオン改良版のお披露目の際に中に通したんですわ。その後に研究室に入った人間はひとりもおらへんです」

「百合さんも中に入ったのか。でも、出願準備をはじめたのはその後だから、百合さんが情報を漏らしたというのは考えにくいね」

次郎が天井を見上げながら話した。

「じつを言うと、やっぱり義男を疑うしかないかと考えておるんです。ゴロテックに採用してもらうことを条件に、丹羽に発明を売り渡したってことも、あり得ることではないかと……」

義男は事故から約一カ月後に奇跡的に意識を取り戻したが、まだ意思疎通に問題がある状態だった。

麻衣が次郎に向かって言った。

「それはないと思うわ。ゴロテックによる出願は今年の頭よ。それに、次郎。あなた自身、プライドの高い義男君が、自分の発明を他人名義の特許にすることを許すはずがないって言っていたわよね。私も義男君が自ら発明を漏らしたことはないと思っているの」

鈴木弁理士は両手を次郎の両肩に置いて言った。

「私自身は、まだ二階の研究室の中を見たことがない。中に通してもらえないかな？　何か気がつくことがあるかもしれない。あらゆる可能性を検討したいんだ」

次郎は渋々承諾すると、ボク、麻衣、鈴木弁理士の三人を連れて応接室を出た。

エレベーターで二階へと上がると、以前も見たことのある大きな金属製の扉があった。

次郎が扉の中央部に取り付けられた正方形のパネルに手のひらを押しつけ、その上方にある長方形の鏡に顔を近づけると、スライド式の扉が横に開いていった。

鈴木弁理士が次郎に尋ねた。

「ここを生体認証で通過できるのは何人かな?」

「わしと義男のふたりだけです。佐和子ですら、この中には入れないようにしています」

ボクたちは部屋の中に入った。以前来たときと同じように、左側には大きな作業机や様々な機器が置かれており、右側は広い空間となっていた。そして、部屋の奥の方には楽天則や製造装置などが置かれていた。

鈴木弁理士は次郎に尋ねた。

「次郎君と義男君のそれぞれの作業スペースは、どう分かれているのかな?」

「自分はいつも部屋の奥の方で作業をしとります。ちょうど楽天則のある辺りです。義男が使っているのは、手前左側の作業机がある辺りです」

鈴木弁理士は部屋の中を隅々まで見回した後、作業机の上に一枚一枚、丁寧に広げて置かれた書類に目をやった。

「この書類は?」

「ああ、義男のもんです。奴は書類を読むとき、いったん全部ばらして机の上に広げて読む習慣があるんですわ」

鈴木弁理士は太い眉を上げて両目を広げ、それらの書類を凝視した。

「これは、ＲＩＫＯの特許出願のときのチェック用の明細書、それにＲＩＫＯのソースコードじゃないか！　学習データに関する詳細な情報もここからじゅうぶん読み取れる」

次郎は鈴木弁理士の隣に移動し、同じくそれらの書類に目をやった。

「義男はプログラムのバグ取りのときにソースコードをよく印刷しておったし、チェック用の明細書も印刷して広げて確認しとりました。その様子は自分も見とります」

鈴木弁理士はふと頭を上げ、天井を見回すとつぶやいた。

「なるほど。そうか、そういうことか」

ボクは首をかしげながら尋ねた。

「え、何が、どういうことなんですか?」

鈴木弁理士は天井を指さしながら言った。

「ほら、真上に監視カメラがあるだろう。この位置関係ならば、作業机の上はしっかり映っているはずだ。次郎君、監視カメラの映像はどこで見ることができる?」

「一階の給湯室の横にある管理室です」

ボクたちは階段を駆け下り、一階の管理室へと向かった。その様子を見た佐和子は驚いた顔をしている。給湯室の中に入っていくと、その奥の方に管理室の入口の扉があった。特にカギはかかっておらず、そのまま中に入れるようになっていた。

麻衣が次郎に尋ねた。

「どうしてこんなところに管理室があるのかしら？」

「もとからこうなってたんや。おそらく他に空いている部屋がなかったんやろうな」

管理室は四畳半ほどの狭い部屋だった。その壁面には多数のディスプレイがマトリクス状に配置されており、建物内外の各所に設置された監視カメラの映像を見ることができるようになっていた。それもかなり鮮明だ。

麻衣が驚きながら次郎に尋ねた。

「すごい解像度ね。監視カメラって、普通は粗い映像じゃないかしら？」

「それは保存用のハードディスクの容量をケチっとるからよ。お金がかかっても怪しいものがしっかりわかるように高解像度のものを導入したんよ。拡大表示もできるで」

次郎はそう言ってから、机上にあるボタンをランダムに押しながらその横にあるダイヤルを回した。いくつかの映像が拡大表示された。二階の作業机の上に広げられている書類の文字と図面もすべて読み取ることができた。

鈴木弁理士が聞いた。

「ここに入ることができるのは？」

「見てのとおり、カギをかけとりませんので、一階にいるものであれば、誰でも入ることができます。そやけど、訪問客を管理室に通すことは絶対にありません。そもそも、応接室から見て玄関やトイレとは逆方向になるんで、導線的に考えても訪問客が来ることは想定しにくいです」

「管理室の入退室の様子が映っている映像はないのかな?」

「給湯室にも監視カメラを設置しとりますから、もちろんあります。そやけど、出願書類の準備期間の映像だけはないんですわ。というのも、昨年末にカメラが故障して、一月中旬まで修理に出しておったんで」

麻衣が絶叫した。

「どうしてそんなタイミングで故障するのよ?」

鈴木弁理士が肩を落としながら言った。

「それは残念だ。その期間中、訪問客が勝手に管理室に入った可能性はないかな?」

次郎は少し考え込んでから口を開いた。

「それは考えにくいです。訪問客が勝手に動き回れば、それに気づくやろうし、佐和子がお茶の準備や片づけで給湯室に出入りするタイミングで、鉢合わせてしまいます」

「いや、そうとも限らない。次郎君が考えにくいと言っているのは、ガンラボの関係者が訪問客の動きに目を配っていることが前提となっているよね? たとえば、訪問客を応接室に通しているとき、ガンラボの関係者が近くにいないような場合はどうだろう?」

次郎が大きく目を見開いて言った。

「そうや。年明け早々、義男ひとりのときに、喜太郎が来たことがありました。応接室で鉢合わせた佐和子が悲鳴を上げたんで、すぐに追い出したんですけど、あのとき義男は二階におったから、喜太郎が一階をうろつくことは可能だったはずです。そもそも、あのとき喜太郎は、RIKOの技術を渡してほしいって言っとりました。奴とは秘密保持契約を結んでおるけど、今回は動機も十分や。情報を盗み出したのは、喜太郎以外に考えられんと思います」

鈴木弁理士は小刻みにうなずいた後、落ち着いた口調で話しはじめた。

「監視カメラの映像さえ見れば作業机の上の書類が読み取れること、義男君が書類を一枚一枚広げて閲覧する習慣があること、御木本喜太郎がRIKOに並々ならぬ関心を示していたこと、さらに、彼が管理室に出入りする機会があったこと、この四つの情報から総合的に判断すると、やはり御木本喜太郎がRIKOに関する情報を窃取(せっしゅ)した可能性が高いと考えざるを得なくなる」

麻衣が大きくうなずきながら言った。

「これですべてが明らかになったわ。犯人は御木本喜太郎。彼がRIKOに関する書類を再現して、それを丹羽直人に売り渡したのよ。次郎、彼はどこにいるの?」

次郎はもごもごとした口調で答えた。

「横浜の金沢区や。名刺をもらっとるから、ちょっと待ってくれんか」

応接室の外に出た次郎は数分後に戻ってくると、こちらに喜太郎の名刺を差し出した。

そこには京急線の金沢八景駅近くのマリーナ付近の住所が書かれていた。その表示から考えて、自宅を事務所として使っているようだ。

鈴木弁理士の目が光った。

「今すぐ御木本喜太郎のところに行こう。不正に盗み出された発明が特許出願されたこと、つまり、冒認出願であることが証明できるかもしれない」

13

ガンラボの入口で佐和子に見送られたボク、麻衣、次郎、鈴木弁理士の四人は、横浜駅から京急線の快特列車に乗り込み、御木本喜太郎の自宅へと向かった。二十分足らずで金沢八景駅に到着した。先ほどまで降っていた雨もやみ、見上げると青空が広がっていた。

たくさんの小型船が停泊している海沿いのマリーナを歩いていると、スマートフォンの表示が喜太郎の自宅を示した。地図上に占める面積は広大で、豪邸であることがわかる。

御木本喜太郎が富裕層出身とは想像もしていなかった。

周囲は高さ二メートル以上はある高い塀に囲まれている。鈴木弁理士がインターホンを押して自らの名前を名乗った。

「ああ、鈴木先生ですね。お待ちしておりました。どうぞお入りください」

インターホン越しに甲高い男性の声が聞こえた。喜太郎本人のようだ。

しばらくして重厚な表門がゆっくりと開き、上品そうな中年女性がボクたちを招き入れた。この家のお手伝いさんらしい。表門から入るとそこは中庭となっており、その先に二階建ての洋館があった。洋館の裏側の波止場には異なったサイズの高級そうな船が数隻泊まっているのが見える。

洋館の玄関前には、赤いハチマキを額に巻き、ブカブカの吊りズボンを穿いた巨漢が立っていた。御木本喜太郎だ。

鈴木弁理士が早速、その場で喜太郎に話しかけた。

「喜太郎君、率直に聞こう。君は、今年の一月四日にガンラボにおいて、食材認識技術であるＲＩＫＯに関する情報を窃取しただろう」

「セ、セッシュと言いますと?」

「栄養摂取の『摂取』でも、予防接種の『接種』でもない。こっそり盗み出すという意味だよ」

喜太郎は慌てたように言った。

「いったい何のことでしょうか？」

麻衣が割り込んで言った。

「とぼけても無駄よ。ガンラボの応接室に通されたあなたは、建物の一階を徘徊し、管理室に侵入して、その監視カメラの映像からＲＩＫＯに関する情報を入手した。そして、その情報を外部に持ち出し、丹羽直人に売り渡したのね」

「ちょ、ちょっと、待ってください。ガンラボの管理室でＲＩＫＯのソースコードや特許書類を盗み見たのは事実です。でも、その内容を他人に売り渡したりはしていません」

鈴木弁理士が首をかしげながら尋ねた。

「他人に売り渡していない？　では、盗み見たという情報はどうしたのかね？」

喜太郎はうつむきながら答えた。

「サワコに実装したんです」

「サワコに実装？　何のことを言っているのか、さっぱり意味がわからないんだが……」

「サワコというのは、当時製作していた専業主婦ロボットの開発コードネームです」

次郎が呆れた表情で言った。

「何考えとるんや……。人の妹の名前を勝手に使いおって」

麻衣が首をかしげながら尋ねた。

「ＲＩＫＯを、その専業主婦ロボットとやらに実装したというわけね。どういう理由からかしら?」

喜太郎がうつむきながら答えた。

「ＲＩＫＯを導入すれば、食材の認識率が格段に高まりますから、開発中のサワコに、おいしい料理を作ってもらえると思ったんです」

「動機はわかったわ。そもそもの話として、ガンラボの管理室に入れば二階の研究室の映像が確認できるって、最初から知っていたの?」

「いいえ、全然知りませんでした」

「じゃあ、なぜ管理室に?」

「じつは、応接室で待っている間、佐和子さんの持ち物とか何か関係するものがあれば持って帰ろうと、私の心の中の悪魔がささやいたんです」

「うーん……ちょっと気持ち悪いわね。ともかく、そのために一階を徘徊したわけね」

「はい。給湯室を見つけて、『ここで佐和子さんがお茶の準備をしているんだ』って、ひとりで盛り上がっていたんですが、奥にある管理室の扉が目に入ったので、ちょっと中に入ってみたんです。そしたら、ディスプレイのひとつに、二階の研究室で義男さんが書類を確認している映像が映し出されていました。ＲＩＫＯのソースコードと特許書類であることはすぐにわかりました。ダイヤルを回したら拡大表示できたものですから、少しずつ画面を移動させながら、スマホを使ってたくさん写真を撮ったんです。義男さんの頭が動いていて邪魔だったものですから、同じ箇所についても何度も撮りました。しばらくして次郎社長と佐和子さんの車が戻ってきた音が聞こえたので、慌てて応接室に戻ったんです」

「写真はきちんと撮れていたのかしら？」

「はい、バッチリでした。次郎社長にガンラボを追い出された後、自宅に戻ってから確認してみました。複数の写真を組み合わせたところ、ソースコード、特許書類、そのいずれについてもオリジナルの大部分を再現することに成功しました」

「再現したソースコードは、そのままロボットに実装したのかしら？」

「いいえ。さすがにソースコードをそのままコピーするのは気が引けたので、念のため、プログラムを全面的に書き換えて実装しました。その後、食材の認識率は大きく向上しました」

鈴木弁理士が喜太郎に尋ねた。

「全面的に書き換えたというのは、著作権侵害*34を回避するためかな？」

「そ、そんなことは知りません。そのままコピーすることに罪悪感を抱いただけです」

「で、そのロボットは今、ここにあるのかな？」

喜太郎はうつむきながら答えた。

「いいえ、中華街にあります」

麻衣が怪訝そうな表情で尋ねた。

「横浜の中華街ってことよね？」

「はい。じつは、クリスマス商戦に便乗して、サワコのプロトタイプをインターネットの販売サイトで商品として売り出してみたんです。料理以外にも、掃除、洗濯などにも対応できるようにしました。一品製作モノで量産品ではありませんから、ものすごくお金がかかったのはご想像のとおりです。そこで、一千万円を超える価格を設定したんですが、ふたりも買い手が現れたんです。まさか買ってくれる人がいるとは思いもしなかったので、大変驚きました」

「モノ好きな人もいるものだわ。ふたりって言ったけど、ロボットは一台だけよね」

「はい、そのため、最初の買い手に売ることにして、二番目の買い手には一から新しく製作したものを渡すことにしたのです。そちらはまだ製作中の段階です」

「その最初の買い手が中華街にいるというわけね」

「はい。中華料理のレストランを経営している周さんっていう方です。お店でデモをやってお客を喜ばせたいと言っていました。横浜市内でしたので、宅配業者には頼まず、レンタカーを借りて直接送り届けました。受け取った周さんはものすごく喜んでいました。お金はその場で現金でもらいました」

「一千万以上も現金で？　それって、いつの話かしら？」

「一月六日です。新しくＲＩＫＯを実装して動作確認をした後、そのまま持っていったので、よく覚えています。サワコをよりよいものに仕上げてお客さんに送り届けることができ、個人的には満足していました」

鈴木弁理士が身を乗り出しながら尋ねた。

「取扱説明書のようなものはつけなかったのかな？」

「後から問い合わせを受けるのも面倒だと思ったので、電子化したマニュアルをサワコに内蔵しました。首の後ろ側にある端子から読み取れるようにしました」

麻衣が怪訝（けげん）そうな表情で言った。

「今どき無線対応してないの？　首の後ろ側の端子って、まるで『攻殻（こうかく）機動隊』や『マトリックス』みたいね」

鈴木弁理士が小刻みにうなずきながら尋ねた。

＊34　著作権侵害　著作者の許諾を受けることなく著作物を複製したり、インターネットで送信したり、翻訳・翻案などを行ったりすること。たとえば、著作物に該当するコンピュータ・プログラムを無断でコピーすると、原則として著作権侵害となる。

「そのマニュアルにはＲＩＫＯについてどの程度のことが書かれているのかな？」

「ＲＩＫＯの動作確認後、すぐに持っていきましたから、きちんとした説明文を書く時間がありませんでした。そのため、再現した特許書類を参考資料としてそのままマニュアルの巻末に付けました」

「なるほど。その日に売買が成立したことを示す証拠はあるかな？」

「納品書のコピーがありますし、受領書も受け取りました。金額が大きかったので、確定申告のためにちゃんと保管していました。今も手元にあります」

鈴木弁理士が肩を震わせながら小刻みに笑いはじめた。

「ふふふ……。思わぬところで、棚から牡丹餅（ぼたもち）だ。これで新規性を否定することができる。ＧＲＳ特許をつぶすことができるぞ」

ボクは状況を把握すべく鈴木弁理士に尋ねた。

「つまり、冒認出願の証拠は出てこなかったけど、新規性を否定できる証拠が出てきたから、相手の特許をつぶせるってことですか？」

「そうだ。ＧＲＳ特許が出願された一月八日の二日前に、それと同じ技術を搭載したロボットが『その技術内容が知られ得る状況』で販売されたことになるから、ＧＲＳ特許に新規性はない。そのロボットを証拠として提出できれば、ＧＲＳ特許を取り消すことができるかもしれない」

麻衣が喜太郎に顔を近づけながら尋ねた。

「周さんのお店って、なんて名前？　中華街のどこにあるの？」

「大王飯店という店だよ。関帝廟の近くにある」

それを聞いた鈴木弁理士はスマートフォンを取り出すと、電話をかけはじめた。

「もしもし、大王飯店でしょうか？　私、弁理士の鈴木幸太郎という者ですが……」

14

みなとみらい線の元町・中華街駅に到着したボク、麻衣、次郎、鈴木弁理士、喜太郎の五人は、足早に大王飯店へと向かった。元町方面とは逆方向へと歩き、中華街のゲートをくぐると、多くの人でごった返していた。夕暮れとなり、中華街を彩るネオンサインも点灯しはじめていた。夕食の時間にしてはまだ早いが、それぞれの中華料理店の入口には店員が立ち並び、通行人を激しく勧誘してくる。それを避けながら、人ごみの中をどんどん前に進むと、赤色と金色で彩られた関帝廟が見えてきた。

関帝廟は、中国の後漢末期に劉備玄徳に仕えた武将・関羽を祀る廟のことだ。中国大陸を中心にアジア各国に存在するが、横浜中華街のものは、開港間もない江戸時代末期に、ひとりの中国人が関羽の木像を祀る小さな祠を開いたのが始まりだという。石造りの階段を上ったところに門があり、その奥には本殿が見える。

目指す大王飯店は、通りを挟んだ向かい側の並びにあった。三階建ての比較的大きな建物だが、関帝廟の威圧感に圧倒されて目立たない。入口付近には凝った中国風の彫刻のオブジェが置かれており、それがお店の存在感を主張しているようだった。

入口の自動ドアを通ると、黒い民族服を着た小柄な禿頭の老人が立っていた。ボクたちが店内に入るやいなや、深々とお辞儀をした。

「お待ちしておりました。大王飯店オーナーの周龍徳です」

「ああ、周さん、おひさしぶりです」

いきなり喜太郎は周氏と握手をはじめた。

それを遮るように鈴木弁理士が一歩前に出た。

「はじめまして。弁理士の鈴木幸太郎です」

「ああ、先ほどお電話をくださった便利屋さんですね。中華街でもお世話になっている便利屋さんがいます」

麻衣、ボク、次郎も自己紹介をすると、周氏は、ボクたちを店舗二階の奥にある宴会場へと連れていった。この日は宴会は予定されていないらしく閑散とした状態だったが、宴会場の中央には大型の液晶ディスプレイが置かれ、その正面にたくさん椅子が並んでいた。

ここに座れということだろう。

周氏がリモコンを操作すると、液晶ディスプレイに映像が流れはじめた。

赤いチャイナ服を着た人型ロボットが、宴会場の端に設置された仮設の厨房で料理をしている映像だった。喜太郎が作ったというロボットだろう。顔は美少女のマネキン人形風で、大きな潤（うる）んだ瞳が印象的だ。よく見ると佐和子そっくりだ。

一方、その下半身はスカートのように下に向かって広がっており、その下に取り付けられた車輪で移動するようになっていた。

ロボットは冷蔵庫から食材を取り出すと、それを包丁で切ったり、材料をボウルで混ぜたり、鍋で炒めたりしている。どうやら青椒肉絲（チンジャオロース）を作っているようだ。動きは遅いうえに雑で、とても人間の代替（だいたい）となるようなレベルには達していないが、ひと通りの動きはこなせている。複数の円卓に座った客たちが、立ち上がって拍手をしたり写真を撮ったりしている。ロボットが一生懸命料理をする様子を楽しんでいるようだ。

映像を流しながら周氏が話しはじめた。

「これは、今年の頭に喜太郎さんから購入したロボットです。急病で亡くなった孫娘にちなんで、アグネスと名づけました。見てのとおり、動きはいかにもロボットという不自然さですし、料理の味も、当店の基準と比べるとまだまだです。ですが、特定のお客様の前でデモをして喜んでもらっております」

喜太郎が目に涙を浮かべながら拍手をはじめた。

「サワコをここまで大切にしてくれているなんて……。製作者としても光栄です」

すかさずボクがツッコミを入れた。

「サワコじゃなくて、アグネスだよ」

たしかにロボットが一生懸命料理を作っている姿は微笑ましい。調理の過程がすべてブラックボックスになっているフルクックとは異なり、見ているだけでも楽しいし、汗を流している感じがして、自然と好感を抱いてしまう。

麻衣は真剣な表情で、じっと画面を見つめていた。彼女のことだから、来年のお手伝いロボット選手権で活用しようと考えているのかもしれない。

周氏は目に涙を浮かべながら言った。

「この娘の健気（けなげ）な姿を見ていると、まるで孫娘が生き返ったようで……」

麻衣が周氏に話しかけた。

「素晴らしいですね。でも、このお店にこんな素敵なロボットがいるだなんて、失礼ですけど、まったく知りませんでした。マスコミでも報道されていないですよね」

たしかに、その点は気になる。こんな興味深いロボットがあれば、どこかのテレビ局がさっさと取材に来そうなものだ。

「アグネスについてはマスコミ発表していません。料理のレベルが当店の基準に全然達していないこともありますが、世の中の人たちの見世物みたいにしたくないんですよ」

なるほど。アグネスに対して個人的な感情を持っているのは間違いないようだ。

周氏の話を聞きながら喜太郎も涙を流している。鼻水を何度もすすっていた。

ここで鈴木弁理士が率直に質問を投げかけた。

「ご事情はわかりました。ところで、アグネスは今、どこにいるんでしょうか？」

周氏はにっこりと微笑んだ。

「アグネスのために三階に部屋を作りましてね。そこにおりますよ。今から行きましょう」

ボクたちは周氏に導かれて、三階へと向かった。

周氏は部屋の扉のカギを開けると、そのまま取っ手を回した。

周氏に続いて全員が部屋の中に入った。天井を見ると、三角屋根の吹き抜け構造となっており、屋根に沿ってひとつの小さな天窓があった。その天窓までの距離は四メートルくらいだろうか。距離もあることから部屋全体が薄暗い。見回すと、勉強机、シングルベッド、箪笥など、中高生の部屋にありがちなものがひととおり置かれているようだ。

勉強机の近くに目をやると、身長百七十センチほどのふたつの人影らしきものが並んで立っている。この部屋にはロボットが二体あるのか？　ボク、麻衣、次郎は横一列になってそちらに近づいていった。

周氏が壁のスイッチを押して照明を点(つ)けると、一気に周囲が明るくなった。ふたつの人影の正体もわかった。左側に立つのは、映像で見たばかりの赤いチャイナ服を着たアグネス、そして、右側に立つのは、なんと、あの黄金仮面だった。賊は左腕を真横に伸ばしてそのマントを大きく広げた。

「お、黄金仮面！」

ボク、麻衣、次郎の三人は声を揃えて叫ぶと、とっさに黄金仮面に飛びかかった。

黄金仮面はマントを翻(ひるがえ)し、真上に大きくジャンプした。驚くべきことに、一瞬にして天窓に達した。次郎が上を見上げながら叫んだ。

「ヤ、ヤロウ！」

黄金仮面は天窓のレバーに手をかけてこちらを見下ろすと、その窓を開けて部屋の外へと飛び出した。屋根を伝って逃げるつもりのようだ。密室であったことを考えると、おそらく侵入経路も同じだろう。

次郎と喜太郎が部屋の外に飛び出し、階段を駆け下りた。黄金仮面を捕まえるつもりのようだが、時間差を考えると、おそらく無理だろう。

麻衣が悔しそうな声を上げた。

「またしても逃げられたわ！」

鈴木弁理士は右手で顎(あご)をさすりながらつぶやいた。

「黄金仮面は、ゴロテックの差し金で動いているのかもしれない」

麻衣が驚いた様子で尋ねた。

「どうしてそう思われるんですか?」

「先ほど黄金仮面が易々（やすやす）と四メートルもの高さを一気に飛び上がったけど、あれは、ゴロテックとトミハラ自動車とで係争中の『スーパー・ジャンピング・ブーツ』だろう。仙台国際センターで奴と遭遇したときにもそのことが頭をよぎったんだけど、それが今、確信に変わったよ」

「スーパー・ジャンピング・ブーツ?」

「発明者が丹羽直人となっているゴロテックの特許があるんだけど、トミハラ側がそれに疑義を呈しているんだ。トミハラで新規事業を担当していた元従業員が不正に持ち出した情報に基づいてゴロテックが特許を取ったと疑われているものだ。係争中（けいそうちゅう）のため商品は出ていないから、おそらくあれは試作品だろう。あのレベルにまで作り上げることができるのは、おそらくゴロテックとトミハラだけだ。麻衣さんたちとの関係を考えると、ゴロテックの関与を疑いたくなる」

麻衣が納得した様子でうなずいた。

「なるほど。この前も言いましたけど、丹羽の一家はパクリ家族と呼ばれていて、彼自身も高校生のときから他人のアイデアを盗んでばかりいました。それに、黄金仮面は、楽天則やベラリオンを盗み出そうとか、今回みたいに私たちの動きを妨害しようとか、そういった局面でしか姿を現していないですよね。それを考えると、ゴロテックの差し金という可能性は相当高そうですね」

周氏が麻衣の横を通り過ぎ、その場に立つアグネスを抱きしめた。

「大丈夫か？　怪我はないか？」

愛情いっぱいの様子でアグネスに話しかけている。

ちっ、ちっ、ちぃ、ちぃ……。

耳を澄ますと、時計の針が進むような音が聞こえてきた。

「ちょっと変な音がしませんか？」

ボクは急いでアグネスに駆け寄ると、それを抱擁していた周氏を強引に押しのけた。その勢いで激しく転倒した周氏はうつ伏せとなり、こちらに向かって大声で叫んだ。

「いきなり何をするんじゃ！」

ボクはアグネスの胸に耳を当てると、着用していたチャイナドレスの胸元を急いで開いた。白いブラジャーの前中心に直方体をした器具が取り付けられていた。デジタル表示された数字が、10、9、8、といった具合に、どんどん減っている。こ、これは時限爆弾？

ボクはとっさに振り向き、大声で叫んだ。

「あぶない、逃げて！」

麻衣が自分の真後ろに立っていたので、強引に両手で麻衣の両肩を抱きかかえ、そのまま力ずくで後方に押し戻した。

バン！　バン！　バン！　ズドォーン！

大きな爆発音と共に、爆風が背中に襲いかかる。ボクは麻衣の体を抱えながらその場にひれ伏した。

静かになってから振り向くと、まだ煙が充満している。アグネスを見ると、その腹部から上の部分は完全に消失していた。またその周囲には、腕や頭部の一部であったと思しき部品のほか、金属や電気回路の破片が散乱している。状況を見る限り、ＲＩＫＯの機能を実現するための部位や、情報が入った記憶媒体などは完全に破壊されてしまったようだ。

「うおー、アグネス、アグネスーー！」

周氏がうつ伏せになったまま号泣している。ボクが爆発直前に押し倒したことで、幸い爆風の影響は受けなかったようだ。

ふと下を見ると、麻衣が両目を閉じて険しい表情をしている。麻衣の体の上にボクが覆いかぶさるような体勢となっていた。麻衣の胸の感触を感じて恥ずかしくなり、とっさに立ち上がった。

続いて麻衣も立ち上がると、アグネスの破片を見つめながら、無念やるかたない様子で口を開いた。

「何てことなの……。証拠が……、証拠が……」

少し離れた位置で鈴木弁理士も呆然と立ち尽くしている。

「爆破して証拠を消すだなんて……。まさかここまでするとは。これですべてが振り出しに戻ってしまった」

ボクたちが立ち尽くす中、周氏の泣き声だけがその場に響き渡っていた。

第三章　ナデシコ

15

ボクと麻衣は、東京駅の丸の内中央口から外へと出た。東京駅周辺は濃い霧がたちこめており、どんよりとした雲が空を覆っていた。なんとなく憂鬱な気分だ。八月に入ったというのに、梅雨明けしないまま、天候不順の日が続いていた。

気温と湿度が相当高いのか、異様に蒸し暑い。ボクも麻衣も黒いスーツ姿のため、普通に歩いているだけで、どんどん汗ばんでくる。

林立するビル群の中から目指すべき二十階建てのビルが見えてきた。ボクと麻衣はビルの一階ホールからエレベーターに乗り、七階にあるハウゼンの東京支社に到着した。「ナデシコ・アシスタント・システム 公開コンペティション」の説明会に参加すべく、ここまでやってきたのだ。

受付で手続きを済ませ、女性社員に先導されながら会議室のあるエリアへと向かう。廊下の壁に沿って大きな窓が並んでおり、窓の外に広がる深い霧が、まるで巨大な灰色のカーテンのように見える。

女性社員が会議室の扉を開けた。部屋の中央には大きな長机が二脚、横に並んで設置されている。手前の長机の上には、なんと「ゴロテック」と書かれたプレートが置かれ、あの丹羽直人が椅子に腰かけているではないか！　前回会ったときと同じ白色のスーツを着ている。その隣には紫のスーツを着た女性が座っている。ボクたちがゴロテックを訪問したときに案内をした女性だ。おそらく丹羽の秘書なのだろう。

ゴロテックが参加するだけでも驚きだが、まさか丹羽本人が出向いてくるとは……。

奥側の長机の上には、「杉本製作所」と書かれたプレートが置かれていた。今回のコンペは法人でないと参加できないため、ロボ研は杉本製作所名義で参加することにしたのだ。横に並んだふたつの長机と向かい合う形で小さな演台が置かれている。こちらはハウゼンの説明員用のものだろう。

配置を見る限り、東京会場の説明会に参加するのは、杉本製作所とゴロテックの二社だけのようだ。一カ月前に、ナデシコカフェの展開に合わせた参入要件が公表されたのだが、導入台数とコストに関する条件が意外に厳しいものであったことから、多くの会社がコンペ参加を見送ったことは聞いていた。杉本製作所にしても、コンペで勝利することを条件にタカミネがベラリオンを量産することに同意してくれたことから、なんとか参加できることになったのだ。

丹羽は右手を上げると、微笑みながら話しかけてきた。

「やあ、久しぶりだね。GRS特許をつぶすための証拠集めは進んでいるかな？」

麻衣が不愉快そうに答えた。

「ええ、おかげさまで」

丹羽は薄笑いを浮かべながら言った。

「いくら頑張ったところで無駄だと思うけどね。そちらにとって非常に有利なクロスライセンスの提案までしてあげたのだから、さっさと応じるべきだと思うがねえ。君たちのパートナーのタカミネもとても困っていると聞いているよ。君たち自身も、このコンペでRIKOとやらを使いたいんだろう？」

「まだ回答期限まで二カ月あるわ。決めつけるような言い方はやめてくれない？」

丹羽は大声で笑いはじめた。

「ははは、いいねえ。それでこそ麻衣だ。ますます好きになったよ。勝利の栄光を、君に！」

麻衣は丹羽を睨（にら）みつけた。

ここでドアが開き、ひょろっとした顔色の悪い男性が会議室の中に入ってきた。この男性がハウゼンの説明員のようだ。ボクと麻衣が着席すると、説明員用の演台の後ろに立ち、ポケットから取り出したメモ用紙に目をやりながら話しはじめた。

「それでは、これから『ナデシコ・アシスタント・システム公開コンペティション』の詳細についてご説明します。開催日時は、十一月三十日午後一時で、開催場所は大阪市中央区の大阪城ホールです」

説明員の男性は咳払いをした後、話を続けた。

「皆さまには、厨房で調理をした後、完成した料理をナデシコに手渡す一連のシステムを提供していただきます。具体的な実演の内容は、次のとおりです。まず、テーブルでお客様から注文を受けたナデシコは、その料理番号をシステム側に送信した後、厨房まで移動します。システム側では、料理番号を受信したら直ちに作業を開始するように設定してください。また、調理終了後は、出来上がった料理をナデシコの配膳台に載せるように設定してください。最後にナデシコがお客様のところまで料理を運びます。このシステムは、ひとつのマシンで実現するものでも、複数のマシンで実現するものでも、どちらでも構いません」

早速、丹羽が質問した。

「その料理というのは、手のこんだ、作るのが大変なものでしょうか?」

「いえ、そのようなことはありません。市販の自動調理器でも作ることができるものに限定します」

　なるほど。おおよそ事前に想定していたとおりの内容だ。食材移動ロボットのベラリオンと、自動調理器のフルクックとの組み合わせで、求められているシステムは難なく実現できそうである。ベラリオンに追加する必要があるのは、ナデシコが送信した料理番号を受信して食材を選択・移動する機能、そして、フルクックに追加する必要があるのは、ナデシコからの料理番号を受信して対応する料理を調理し、完成物をナデシコの配膳台に載せる機能くらいだろうか。

　麻衣が説明員に尋ねた。

「実演の内容はよく理解できました。コンペということですから、参加者は互いに競い合う必要があるということですよね。勝敗はどのように決まるのでしょうか？」

「はい。勝敗のポイントはふたつです。まず、ひとつ目は、『なるべく早くナデシコの配膳台に出来上がった料理を載せること』、そして、ふたつ目は、『調理された料理の味がおいしいこと』となります。要するに、調理のスピードが速いだけではなく、料理をおいしく仕上げる必要があるということです」

　丹羽が手を挙げて質問した。

「調理する料理はひとつだけでしょうか？　それとも複数の料理になりますか？」

「全部で六種類の料理を完成させる必要があります」

「六種類の料理とおっしゃいましたけど、それが何かを事前に知ることはできますか？」

「いいえ、できません。六種類の料理は、当日、お客様としてテーブルに座った審査員の方々が、メニュー表からランダムに選びます」

説明員はそう言うと、こちらに近づき、一枚のＡ４サイズの用紙をそれぞれの長机の上に置いた。

「これがメニュー表です。全部で五十の料理が書かれており、それぞれの料理に一から五十の番号が割り振られています。この中から六つが選ばれるわけです。原材料の種類と数や量はあらかじめ決められています。どの料理になった場合でも問題なく調理できるよう、ご準備をお願いします」

麻衣が説明員に質問した。

「この五十の料理について、食材や調味料も自分たちですべて準備する必要があるんでしょうか？」

「その点について心配はございません。必要な食材を入れた大型冷蔵庫と、必要な調味料を入れた調味料ラック、そして、水・牛乳がそれぞれ入ったふたつのビーカーはこちらで準備します。システムの精度を確かめるため、調理に使用しない食材や調味料も揃（そろ）えます。また、味に悪影響を与える鮮度の低い食材もあえて混ぜておきます。間違って選ぶことがないようにしてください。双方のチームに対してまったく同じセットを用意しますから、同じものが選択され、その個数や分量が同じである限りにおいては、条件に差が出ることはありません」

　丹羽が再び手を挙げた。

「その六種類の料理を順番に作っていくことになるんでしょうか?」

「はい。参加するチームごとに、一列に並んだ六つの調理エリアを設置し、それぞれの調理エリアに同じ環境を設定します。具体的には、食材を入れた大型冷蔵庫、調味料を入れた調味料ラック、水・牛乳のビーカーを、それぞれ六セット用意します。第一の調理エリアから、第二、第三、第四の調理エリア、といった流れで順次調理してください。調理が開始されて完成を待つだけの状態となりましたら、そのまま次の調理エリアでの作業に移ります。そして、最後の第六の調理エリアにおける料理が完成し、ナデシコが最後の料理を審査員に渡すタイミングで、すべての実演が終了したと判断します」

「実演で使われるナデシコは、すべて同じものでしょうか?」

「はい。すべて同じものを使います。使用するナデシコによって動きや速度に差が出ることはありません」

「なるほど。システムの速さと正確さがすべてのカギを握るというわけですね」

「はい、そういうことになります」

　麻衣がうなずきながら言った。

「ポイントはよく理解できました」

丹羽が再び手を挙げた。

「実演に出すシステムは、もちろん、特許など他人の知的財産権を侵害するようなものではいけないのですよね？」

「はい、もちろんです。独自技術にこだわる必要はありませんが、明らかな侵害品を出してきたことが判明した場合、結果は無効となります」

丹羽が薄笑いを浮かべながら麻衣に向かって言った。

「他人の知的財産権を侵害してはいけないそうだよ？」

麻衣は丹羽の顔を見て微笑みながら言い返した。

「あら、そんなの当たり前じゃない。パクリ商品ばかり作っている御社は大丈夫かしら？」

ふたりの表情は険しいものとなり、いつの間にか睨(にら)み合いとなっていた。

説明員が当惑した表情を浮かべながら言った。

「ほかに質問がないようでしたら、これで説明会を終了いたします」

16

美しい緑色の木々から覗く木漏れ日が清々しく感じられる。説明会から一カ月半が過ぎ、九月中旬となったが、まだまだ暑い日々が続いている。

ボク、麻衣、百合、次郎、佐和子の五人は、今月一日に本格稼働したばかりのタカミネの「横浜本社」に招かれていた。蒲田にあったタカミネの「東京本社」の横浜みなとみらい地区への移転が完了し、その名称も「横浜本社」となったのである。

桜木町駅近くにできた十二階建ての新しいビルには、本社機能だけではなく、千葉・幕張から移設された研修センターも併設された。最新鋭のオフィス家具も入り、華やかな雰囲気の拠点となっていた。

「失礼します」

会議室のスライド式の扉を横に開けながら、麻衣が高峰社長に向かって声をかけた。

高峰社長は、技術部の渋沢部長、知的財産室の伏見室長と一緒にお茶をすすっているところだった。いつも疲れ果てた様子の高峰社長だが、今日は顔色がよい。本社が新しくなり気分が高揚しているのかもしれない。

「麻衣さんね。待っていたわ。早速、中に入って」

麻衣に続いて、ボク、百合、次郎の三人が会議室の中に入った。少し遅れて佐和子も入ってきた。もともと招待リストには義男の名前があったのだが、じゅうぶん意思疎通ができるまでに回復したものの、自宅療養しながら通院する毎日が続いていた。そのため、次郎が義男の代わりに佐和子を追加してもらえるよう高峰社長に頼んだのである。

会議机を挟んで高峰社長らと向かい合う形で横一列に座ると、ボクたちの前にもお茶の入った湯飲み茶碗が出された。五人とも黒いスーツ姿なので、まるで採用面接に臨んでいるかのようだ。

高峰社長は全員をざっと見回してから尋ねた。

「横浜本社のツアーはどうだったかしら?」

中心に座っていた麻衣が返答した。

「はい。大規模な研修センターには大変刺激を受けました。みんなはどうだった?」

麻衣の視線を感じた百合が話しはじめた。

「私はテレビ会議システムが面白かったです。仙台本社の人たちが、まるでそこにいるみたいな臨場感でした」

「ほめてくれてありがとう。テレビ会議って、何となく相手側と距離を感じてしまうじゃない。最近はテレワークも増えてきたけど、物理的な距離だけではなく心理的な距離を感じてしまうという話を聞くことも多いわ。せっかくだから、なるべく同じ部屋にいるような雰囲気作りができるバーチャル会議システムを導入したの」

渋沢部長が誇らしげに言った。

「密なコミュニケーションを取ることを目的に、私が提案したアイデアが基になっています」

ボクは販売中のフルクックについて尋ねてみた。

「ところで、フルクックは今、どんな感じなんでしょうか?」

渋沢部長は少しばかり顔を歪めながら答えた。

「残念ながら、相変わらずインターネットの書き込みはひどいものばかりですよ。売り上げに対する悪影響は変わりません」

そこに伏見室長が割り込んできた。

「ですから、我々としては、一刻も早くフルクックにＲＩＫＯを導入したいと考えているんですよ。ゴロテックの特許さえなければねえ……」

高峰社長は頭を上げ、壁にかかっているカレンダーを見ながら言った。

「そういえば、ゴロテック側が指定してきた回答期限って、いつだったかしら?」

この質問にはボクが回答した。

「ちょうど二週間後です」

伏見室長があきらめの表情で言った。

「もうすぐじゃないですか。タイムリミットですね」

すると、麻衣が自信満々な口調で言った。

「いいえ、大丈夫です。ゴロテックの特許は近々つぶれますので、ご心配なく」

伏見室長は呆れたような表情で言った。

「杉本さん、いくら強がっても、気合だけでは特許をつぶすことはできませんよ。証拠が出てこないことには、どうにもなりませんからね」

麻衣は動ずることなく不敵な笑みを浮かべて言った。

「大丈夫ですよ。じつは今朝、ゴロテックの特許をつぶせるだけの有力な証拠があることがわかったんです。大王飯店の周さんが電話で伝えてきてくれたんですよ」

高峰社長、渋沢部長、伏見室長の三人は、揃って目を丸くしている。タカミネ側だけではない。こちら側のメンバーも全員、ボクも含めて同様の表情をしている。

「そ、そんな話、聞いてないよ」

「裕、そんなに怒らないで。今朝入ってきたばかりの情報なんだから。鈴木先生にはいち早く伝えたけど、みんなとは今日会えることがわかっていたから、今、ここで発表することにしたの」

高峰社長が落ち着かない様子で尋ねた。

「有力な証拠って、どういったもの？」

「ＧＲＳ特許の新規性を否定するものです」

「出願前の公知（こうち）文献が出てきたということかしら。いったい、どんなもの？」

「御木本喜太郎のロボットの『マニュアル』ですよ」

「ロボットのマニュアル？」

「はい。周さんが喜太郎から購入したロボットには、ＲＩＫＯの詳細な情報を含む電子化されたマニュアルが内蔵されていました」

「それは以前聞いたわ。だけど、そのロボットは記憶媒体もろとも爆破されてしまったのよね？」

麻衣が自信満々な口調で答えた。

「おっしゃるとおりです。しかし、周さんはロボットを受け取った直後に、大王飯店の従業員の方に頼んで、マニュアルを印刷してもらっていたんです。首の後ろ側にある端子を直接プリンターにつなげて印刷したんですね。周さんのほか、大王飯店の皆さんはそれに目を通したそうです。また、その日の夜には数人の常連客を集めて初めての実演をしたそうです。周さんは印刷したマニュアルを常連客の方々に資料として見せたと話していました。ゴロテックの出願の二日前のことです。つまり、この日にＲＩＫＯは公知となったわけです。これにより、ＲＩＫＯと同じ技術であるゴロテックのＧＲＳも新規性を失ったことになります」

伏見室長が怪訝（けげん）そうな表情で言った。

「その印刷されたマニュアルは残っているんですか？」

「はい、もちろんです」

「杉本さん、理屈はわかりますが、マニュアルが存在するとしても、それが出願前の文書であることを証明することは相当困難だと思います。仮にマニュアルに作成日時が書かれていたとしても、そんなものは後から捏造することも可能ですからね。その常連客の証言が取れたとしても、信じてもらえるという保証もありません」

　麻衣が誇らしげに答えた。

「ゴロテックの出願前に作成された文書であることは、きちんと証明できます」

　伏見室長が眉をひそめながら尋ねた。

「きちんと証明できる？」

「はい。確定日付印があるからですよ」

　ボクは首をかしげながら尋ねた。

「カクテイヒヅケイン？」

　隣にいた百合が縁なしメガネの位置を調整しながら答えた。

「確定日付を証明する印鑑のことですよ」

　麻衣はこちらを一瞥した後、話し続けた。

「詳しく説明します。まず、喜太郎は周さんに対して、どこかから権利侵害を指摘されたとしても、その責任は負わないと話していたそうです。その動機は理解できます。喜太郎は明細書を盗み見たことで、近いうちに特許出願されることを認識していましたから、後々になって、私たちが特許権侵害を主張するかもしれないと心配していたのでしょう」

伏見室長が麻衣に尋ねた。

「それで、周さんはどうされたんでしょうか？」

「何かしらの対応策が必要と考えた周さんは、翌日、中華街近くに事務所を構える弁理士の方のところに相談に行ったそうです。周さんは今でも便利屋さんと思っているみたいですけどね……。その弁理士の方は、ロボットの技術や事業に関連する資料を集めて公証役場で確定日付印を押してもらうようアドバイスされたそうです」

「なるほど。その弁理士は、その後に誰かが同じ技術を特許出願して特許権を取得した場合でも、大王飯店側が先使用権を主張するなどして、事業を継続できる証拠として使える可能性があると考えたのでしょうね」

「周さんは弁理士の方からアドバイスを受けたのと同じ日に、前日に印刷していたマニュアルを含む資料一式を封筒の中に入れ、中華街近くの公証役場で確定日付印を押してもらったとお話しされていました。確定日付は一月七日。ゴロテックの出願の前日ですから、ＧＲＳ特許の新規性を否定する証拠としては十分です。それ以降、その封筒はアグネスの部屋にある学習机の引き出しに入れたままだそうです」

　ボクは納得しながら激しくうなずいた。

「全容が理解できたよ。今、証拠はその引き出しの中にあるというわけだね」

　百合が両手を合わせて天を仰ぎながら叫んだ。

「奇跡です！　なんと素晴らしいことが起こったのでしょう！　よかった、本当によかったです！」

佐和子が首をひねりながら麻衣に尋ねた。

「私、法律のことはよくわからないんですけど、いくら確定日付印があっても、いったん封筒を開けてしまえば、その中身を入れ替えることもできますよね？」

麻衣は勝ち誇ったような表情で答えた。

「周さんは公証役場から持ち帰った封筒を一度も開けていないとおっしゃっていたわ。科学的な分析をすれば未開封であることは簡単に証明できるんじゃないかしら？」

次郎が怪訝（けげん）そうな表情で麻衣に尋ねた。

「でもなあ、そもそもの話として、なんで今頃、そんなことがわかったんや？」

「単に、周さんが忘れていたからよ。まあ、ご老人だし、勘弁してあげて」

ボクが麻衣に尋ねた。

「その証拠は、いつ取りにいくの？」

「すぐにでも取りにいきたいところだけど、今日は鈴木先生の仕事が詰まっているのよ。同行できるのは夕方以降なんですって。だから周さんのところには、午後六時半頃に取りにいくことにしたわ。裕、あなたにもついてきてもらいたいな」

高峰社長が立ち上がって両手で麻衣の手を握った。

「ギリギリのところで証拠が見つかってよかったわね。頑張ってね」

渋沢部長、伏見室長も立ち上がり、麻衣に向かってガッツポーズをした。

「ありがとうございます」

麻衣は三人に向かって微笑んだ。

17

先ほどまで斜めに差し込んでいた夕日も沈み、横浜中華街はすでに薄暗くなっていた。

ボクと麻衣が関帝廟（かんていびょう）近くの大王飯店の正面に並んで立っていると、息を切らしながら鈴木弁理士が現れた。

「何とか間に合ったよ。今日は肉体労働が続いて大変だった。時間ギリギリだから、早速中に入ろう」

入口の自動ドアを通ると、以前と同じように、黒い民族服を着た周氏が深々とお辞儀をしながらボクたちを出迎えた。

「お待ちしておりました。どうぞ三階へ」

そのまま階段を上り、三階へと向かった。

部屋の中は、以前訪問したときと変わりなかった。屋根の天窓から黄金仮面の侵入を許してしまったことから、天窓にはしっかりカギをかけたという。

「この引き出しです」

周氏はそう言いながら、学習机の一番上の引き出しにカギを差し込み、それを右に回した。カギが外れた音がし、周氏が引き出しを手前に引っ張ると、A4サイズの茶色い封筒が現れた。その表面にはいくつか印鑑が押されている。これが確定日付印と呼ばれているものだ。

周氏はその封筒を右手で取り出した。

「マニュアルはこの中に入っています」

すると突然、天窓がバリンという音を立てて割れ、ガラスの破片がパラパラと降ってきた。それを避けようとその場にいた一同が身構えると、破れた天窓から、ものすごい速さで一本のロープが落下してきた。その先端が周氏の持つ封筒に触れるやいなや、封筒は周氏の右手から奪われ、一気に上方に引っ張り上げられた。一瞬にして封筒は三角屋根の天窓まで上がった。ロープの先端に接着剤が付いているのだろう。

ガラスの破片が落ち切ったタイミングで目を見開くと、天窓の向こう側に見慣れた覆面とマント姿の男が見えた。左腕を真横に伸ばしてそのマントを大きく広げている。

「お、黄金仮面!」

ボクと麻衣は同時に叫んだ。

黄金仮面は右手に封筒を握ったまま、屋根を伝って逃げはじめた。

ボク、麻衣、鈴木弁理士、周氏の四人は、一階まで階段を駆け下り、店舗の外に出て屋根を見上げた。黄金仮面はすでに隣の建物の屋根に飛び移っていた。

だが、そこで足を取られ、屋根から滑り落ちた。普通であれば大怪我をしてしまう高さだが、黄金仮面は周囲にある建物の壁を蹴りながら、落下の衝撃を和らげつつ地上へと降りていった。

黄金仮面は関帝廟通りに出た。通行人を避けながら横浜スタジアムのある横浜公園方向へと走っていく。

突然、その正面に、二メートル程度の高さがある人型の物体が現れた。楽天則だ。底部に取り付けられた無限軌道を動かしながら、ものすごい速さで黄金仮面へと向かっていく。関帝廟の階段を見ると、百合がリモコンを操作しているのが見える。百合が楽天則を操っているのだ。

慌てた黄金仮面は後ろを振り返った。後方からはボク、麻衣、鈴木弁理士、周氏の四人が走って近づいてゆく。ついに黄金仮面は逃げ場を失った。

と思ったのも束の間、黄金仮面は前方に突進しはじめた。楽天則を飛び越えて強行突破するつもりだろう。黄金仮面は前方から迫ってくる楽天則と接触する直前のタイミングで大きくジャンプした。その瞬間、楽天則の背中から上に向かって伸縮式の網が飛び出した。

麻衣が大声で叫んだ。

「黄金仮面、破れたり！」

黄金仮面は瞬く間にその網に捕獲された。そして、楽天則を越えたところでそれ以上先に進めなくなり、膝をついたまま身動きが取れなくなった。賊は完全に沈黙した。

「百合ちゃん、グッジョブ！」

麻衣が百合に向かってガッツポーズをした。

日は完全に落ち、辺りは暗くなっている。通行人の一部は少し距離を置いて事態を見守っていた。今までの捕り物が嘘であったかのように、静寂がその場を支配した。

ここで突然、網の中から炎が上がった。

黄金仮面がライターで封筒に火をつけたのだ。網の中の封筒は瞬く間に燃え上がった。

「ははははは。これでおまえたちの証拠は焼き尽くされる。特許庁に燃えカスを提出したところで、証拠としては扱ってもらえんぞ」

勝利宣言をする黄金仮面に話しかけたのは鈴木弁理士だった。

「別に燃やされても構わんよ。それは証拠でもなんでもないからね。封筒の中に入っているのは、何も書かれていない白い紙だ。すべては君をおびき出すための罠（わな）だったんだよ、池田佐和子さん」

「池田佐和子さん、だと……？」

「そうさ。もう正体はお見通しなんだ。今日、タカミネの会議室にいた人間は、君を除いて全員演技をしていたんだよ。印刷されたマニュアルも、確定日付印入りの封筒も、そもそも存在しない。私が夕方まで仕事が詰まっているというのも嘘さ。君が屋根伝いに逃げないよう、周囲の建物の屋根に滑りやすくなる塗料を塗って回ってはいたけどね。今回は周さんにも協力を仰いだ。何も知らなかったのは佐和子さん、君だけだったということさ」

周氏が網に囚（とら）われた黄金仮面の横までやってきた。

「おまえじゃな、わしのアグネスをぶっ壊したのは。絶対に許さんぞ！」

周氏は「こいつめ、こいつめ」と叫びながら黄金仮面の体を数回蹴飛ばした後、強引にその仮面を剥（は）ぎ取った。

そこに次郎が現れ、興奮した周氏をその場から引き離した。笑い顔の仮面が周氏の手から離れ、上を向いた状態で地面に落ちた。黄金仮面を演じていた人物は両手で顔を隠したまま、網の中でしゃがみ込んでいる。

次郎がその人物に近づいた。

「おまえ、ほんまに、ほんまに佐和子なんか？」

しゃがんでいたその人物は立ち上がり、その顔からゆっくりと自らの両手を離した。雲の合間から差し込んだ月の光がその素顔を照らし出した。池田佐和子本人だった。その大きな瞳からは涙が溢れていた。

「お、おまえ、いったいどうして?」

黄金仮面の正体が妹であったことが否定できない事実となったことで、次郎も泣きそうな顔をしていた。

佐和子はすすり泣きながら話しはじめた。

「ごめんね、お兄ちゃん。本当はお兄ちゃんを騙すようなことはしたくなかったんだけど……」

普段の佐和子の声だ。これまで仮面に装着された器具で声色を偽装していたのだろう。

鈴木弁理士が佐和子に話しかけた。

「佐和子さん、網の中から出てきたらどうかな?」

ボクが網をほどくと、佐和子が中から出てきた。そして、両肩を上下させると、深くため息をついた。その大きな瞳にはまだ涙が溢れている。

鈴木弁理士が佐和子に向かって一歩前に出た。

「ちょっと大掛かりな仕掛けとなってしまったけど、これで君が黄金仮面であることがはっきりした」

佐和子が涙声で鈴木弁理士に尋ねた。

「鈴木先生、いつ気づかれたんですか?」

「当初からロボ研かガンラボの関係者の中に、黄金仮面がいるのではないかと私は考えていた。いつも麻衣さんたちの行動を先読みするかのように動いていたし、関係者以外は入ることが難しい場所にも姿を現したからね。君ではないかと考えはじめたきっかけは、仙台国際センターで黄金仮面と遭遇したときだ。私と衝突した瞬間、黄金仮面が驚いたような声でアカンとつぶやいた。そこで関西出身者だと確信した。さらに関係者に限れば、あの状況で黄金仮面を演じることができたのは、自宅で寝込んでいることになっていた佐和子さん以外、考えられない。加えて、いくら特殊な装置を付けているといっても、普通の人間では黄金仮面のような超人的な動きをすることは難しい。その点、君は中学生時代から陸上競技の選手をしていたからね」

「さすがですね。でも、そもそもの話として、黄金仮面の正体を暴いて、いったいどうするんですか?」

鈴木弁理士は佐和子の目を見ながら答えた。

「直接君と話がしたかっただけさ。私なりに検討して、今までの出来事をすべて矛盾なく説明することができるようになったからね。聞いてもらえるかな?」

佐和子はしばらく沈黙した後、小さな声で「はい」と答え、首を縦に振った。

鈴木弁理士が、ゆっくりとした口調で話しはじめた。

「まず、当初から君の目的は、ＳＴＥＰとＲＩＫＯの双方の情報を入手することだった。

特に優先度が高かったのは、ＳＴＥＰの方だ。その目的達成のために、まず君は、楽天則をパシフィコ横浜の展示会場から連れ出した。入構証を持っていた君が楽天則を外に持ち出すことは難しくはなかったはずだ。だが、顔認識機能が付いていて次郎君以外では操作できない仕様になっていたことから、動作検証すらできずに終わった」

佐和子は黙ったままうつむいている。

鈴木弁理士は話を続けた。

「その後、たまたま君は、二階の作業机の上に置かれた書類を監視カメラで視認できることを知った。御木本喜太郎も同じことに気づいたけど、これは単なる偶然だ。君は、給湯室にあった監視カメラをわざと故障させて取り外させ、自由に管理室に出入りできる環境を作った。そして特許出願前のＲＩＫＯの明細書とソースコードの情報を盗み取ることに成功し、それを丹羽直人に伝えた。その一方で、君はＳＴＥＰの情報を得ることには失敗した。次郎君は主に二階の研究室の奥の方を使っていたし、書類を広げて読むこともなかったからね。情報を取りようがなかったんだ」

佐和子が口を開いた。

「では、その後も黄金仮面が現れたのはなぜでしょう？」

「もちろん、ＳＴＥＰの情報を入手するためさ。ＳＴＥＰは麻衣さんたちが特許出願したけど、その内容は原則として出願から一年六カ月を経過しないと公開されない。それに、

ＳＴＥＰは市販の製品に搭載される予定もなかった。だから、その技術内容を知るためには、楽天則かベラリオンを直接入手する必要があったんだ。楽天則は簡単に持ち出せる大きさではないから、途中からベラリオンをターゲットにしたんだね。君にとって誤算だったのは、御木本喜太郎が独自にＲＩＫＯに関する情報を持ち出し、それを自分のロボットに搭載までしていたことだ。喜太郎の自宅での会話で、君もそのことを初めて知ったんだ」

「ちょっと待ってください。私、あの方の家には行っていません」

「麻衣さんの持ち物の中から盗聴器が見つかった。喜太郎の自宅での会話を聞いて驚いた君は大王飯店へと先回りし、ロボットを爆破することにしたんだ。ＧＲＳ特許の新規性を否定する証拠は消滅させなければならないからね。金沢八景から横浜駅経由で中華街に向かった我々より、横浜駅近くのガンラボから直行した方が遥かに速い。君にとっては地理的な位置関係が幸いした。間一髪のところで企てが成功してホッとしただろうね」

　佐和子は感心したようにうなずいた。

「たしかに、証拠はないけど、そう考えるとすべて辻褄が合いますね。でも、どうして私がそこまでする必要があるんでしょうか？」

　鈴木弁理士は太い眉毛を上下させながら言った。

「答えはシンプルだ。丹羽直人の利益になるからね。君は丹羽に恋をしているね？」

佐和子はその大きな瞳を見開き、強い口調で答えた。

「そう、私は直人さんを愛している」

「君について少し調べさせてもらった。次郎君が必死にお金を貯めて大阪を出たとき、君も次郎君と一緒に横浜にやってきた。そのとき、丹羽や麻衣さんと同じ高校に入学したんだね。校内で丹羽が君に何度も話しかけていたという目撃情報が複数あった」

「あのときはただ、大阪で流行っているパロディ商品について私に色々と聞いてきただけです。直人さんが私に好きだって言ってくれたのは一年くらい前。ある展示会で出展の準備をしていたら、直人さんの方から声をかけてきたんです。一緒に食事に出かけたら、世の中を変える大きな仕事がしたいって壮大な夢を話してくれました。付き合いはじめたのはそれからです。ＳＴＥＰとＲＩＫＯについては、とても素晴らしい技術なのに、学天則のコピーや食材移動ロボットに搭載するだなんて、つまらないことに使っていてもったいない、自分だったら世の中のために使うことができるのに、と話していました」

「世の中のため?」

「ＳＴＥＰは、被災地での救援活動や危険物の除去作業などに使えるかもしれないって話していました。ＲＩＫＯについても、農家さんの収穫作業やスーパーの無人レジのほか、食物アレルギーで苦しむ子供たちのために活用できる可能性もあるんじゃないかって……。ロボットに絵を描かせたり料理の手伝いをさせたりして無邪気に喜んでいるお兄ちゃんや麻衣さんたちとは大違い……」

　次郎が両手で頭を抱えながら言った。

「おまえ、何言うてんねん。丹羽がそんな高尚なことを考えているわけないやろ。奴は単なる女たらしの電波芸人や。数年後には電波と共に消えゆく運命なんや」

　佐和子は次郎を睨みつけ、大声で叫んだ。

「そんなこと言うなんて、お兄ちゃんでも許さないわよ。直人さんは素晴らしい人。世の中をよりよい方向に導いていく人なの。パクリがどうのこうのと批判する人は多いけど、目的を達成するためにはやむを得ないこともあるわ。今の私は、あの人のためならなんだってできる！　それに、直人さんは私のことをとても大切にしてくれるの。『僕はいつまでも君を待ってるよ』って言ってくれているわ」

　それは麻衣に話していたのと同じセリフなのだが……。

　麻衣が深刻そうな表情で佐和子に話しかけた。

「どう考えるかは佐和子ちゃんの勝手だけど、私は丹羽直人という人間を評価することはできないわ。だって、あなたが黄金仮面としてやったことも、明らかに刑法上の犯罪よ。大切な人にそんなひどいことをさせる男なんて、いるわけないじゃない」

　佐和子は麻衣を睨みつけた。

「そんな言い方しないで。直人さんは私のことをいつも想ってくれている」

「どうして断言できるの？　しっかりして！」

佐和子は自分の足を指さしながら言った。

「黄金仮面が誰よりも速く走ったり、高いところに軽々と飛んだりできるのは、このスーパー・ジャンピング・ブーツのおかげよ。絶対に誰にも捕まらないようにって、直人さんが一生懸命発明して私に与えてくれたものなの」

「何言ってるの！　それはトミハラ自動車から盗んだ技術よ」

「麻衣さん、高校生のときに直人さんに振られて憎んでいることはわかるけど、直人さんを中傷するのはもうやめてくれない？」

「ちょっと、なんてこと言うのよ。振ったのは私の方よ！」

全然噛み合わない会話から、丹羽が佐和子に嘘ばかり吹き込んでいることだけはよくわかった。

「見苦しいわね、麻衣さん。まあ、いずれにしても、今回も私は無事に逃げ通してみせる。鈴木先生による大掛かりな仕掛けにはさすがに騙されてしまったけど、麻衣さんたちが冒認出願を証明する証拠も、新規性や進歩性を否定する証拠も揃えられていないことがわかっただけでも大きな収穫だったわ。さようなら」

佐和子はその場で大きくジャンプすると、静まり返った横浜公園方向へと走り去っていった。

18

「いらっしゃいませー」

メイド服姿の百合がボクと麻衣を出迎えた。パテカフェに来るのは久しぶりだ。佐和子が姿を消してから二週間が過ぎていた。

カウンターを見ると、席に座ったカリンがミケスケと遊んでいる。ここにやってきたのは、カリンに会うためだ。百合はカウンターの後ろ側に入り、玲と一緒にこちらの様子を心配そうに見つめている。

ボクと麻衣はカリンの横まで行くと、ミケスケに注意を向けたままの彼女を見下ろした。カリンのポニーテールの下側に見えるうなじが、不思議といつも以上に色っぽく見える。

麻衣は白いワンピースの胸ポケットから上半身を覗かせている奥羽ずん太のフィギュアを取り出すと、それをカウンターの上に置いた。コツンという音がして、驚いたミケスケがカウンターから飛び降りた。

カリンが麻衣を見上げて言った。

「あら、麻衣さん、裕さん、おひさしぶりね。ハウアーユー?」

麻衣が神妙な面持ちでカリンに向かって言った。

「ずん太に、盗聴器が仕掛けられていました」

「まあ、盗聴器ですって?」

カリンが驚いたような口調で答えた。

麻衣は、カウンターに置いたフィギュアを左手で支えると、右手を使ってその頭部から緑色の髪の毛の部分を持ち上げた。カチンという音がして髪全体が頭部から外れ、その外れた部分と頭部とをつなぐ複数のコードがむき出しとなった。

「髪の毛全体が集音マイクになっていただなんて、驚きました」

カリンは分離したフィギュアを一瞥してから麻衣に尋ねた。

「いつ気づいたのかしら?」

麻衣は顔を紅潮させせながら答えた。

「きっかけは中華街の大王飯店に初めて行ったときです。ほぼ時を同じくして黄金仮面が現れました。御木本喜太郎の自宅での会話を聞かなければ、あのタイミングで出現するのは、まず無理です。自分の持ち物を調べた結果、私が持ち歩いているずん太のフィギュアが盗聴器になっていたことがわかりました」

カリンは両手でずん太のフィギュアを持ち上げ、それを凝視しながら言った。

「たしかに面白い盗聴器ね。でも、電源につながっていないし、長時間使うことはできないんじゃないかしら？」

麻衣はカリンからフィギュアを取り上げると、その和服の帯の部分を押した。中に隠れていたＵＳＢ端子が突出した。

「ここから充電できるようになっています。歩数計の機能も付いているので、私は毎日充電して健康管理に使っていました。つまり、ずっと電源につなげておく必要はありません」

カリンは首を縦に振っている。

「でも、盗聴器として常時動くようにしていたら、電気の消耗も相当なものよね。麻衣さんが気づかなかったというのも不自然だわ。それに、盗聴器で録音した内容を、ずん太くんからどうやって取り出すのかしら？」

「このずん太には通信機能が付けられていて、外部から信号を受信したときのみ盗聴器が作動するようになっていました。また、電話での会話のように、通信している間だけ音声を送る仕組みになっていました。消耗する電気の量が少なかったので、私は通信機能がつけられていることに気づきませんでした」

「なるほど。それで、そのことをどうして私に伝える必要があるのかしら？」

麻衣はしばらく沈黙した後、ゆっくりとカリンに尋ねた。

「盗聴器を仕掛けたのは、カリンさんですね？」

カリンは笑いながら答えた。

「ははは、何言ってるの。こんな小さなフィギュアに、そんな細かい仕掛けを施すには相当な手間と時間が必要よ。私にはそんな余裕はなかったわ」

麻衣が冷静な口調で言った。

「盗聴器を仕掛けたという表現は不正確でした。フィギュアそのものを、盗聴器つきのずん太と入れ替えたんですよ」

「なるほど。でも、どうして私が仕掛けたことになるのかしら？」

「その質問には私が答えよう」

背後から声がした。振り返ると、深刻そうな表情をした鈴木弁理士が立っていた。そのままボクと麻衣の横までやってくるとカリンに向かって言った。

「麻衣さんはそのフィギュアを肌身離さず持っている。だから、盗聴器つきのものに入れ替えることは基本的に不可能だ。だが、唯一の例外があった。お手伝いロボット選手権で仙台に行ったときだ。あのときは、地元向けのアピールをするためにフィギュアをフルクックの上に載せる必要があり、他の備品類と一緒にして取り扱った。私と玲さんが着ぐるみをカートに載せて宅配便受付窓口に向かったとき、なぜか君はステージ上の撤収作業の手伝いをはじめた。そのとき、君がフィギュアを長時間いじっていたのを裕君が目撃している。あのとき、フィギュアを盗聴器つきのものと入れ替え、動作確認をしていたんだね」

「私以外にずん太くんに接触した人もいるかもしれないのに、決めつけるなんて、ちょっとひどいわ」

鈴木弁理士はカリンに向かって言った。

「たしかに決めつけはいけないと思った。そこで、麻衣さんが景品として入手したフィギュアを作った仙台の業者に問い合わせてみたんだ。本物そっくりのフィギュアを作るには、オリジナルの情報を入手するために、一度はその業者に接触する必要があるからね。すると、昨年末にゴロテックの社員がやってきて情報を得ていたことがわかった。さらに最近、ゴロテックの通販サイトで二頭身フィギュアの形をした充電式の盗聴器が売られている。おそらく最初に作った盗聴器をベースに量産品を作って売り出しているんだろう」

「それって、ゴロテックの仕業（しわざ）ってことでしょ。どうして私が関係あるのかしら？」

「その仙台の業者のところに来たのは、ゴロテックの研究開発部長、花輪司（はなわつかさ）という人物だったそうだよ。その業者にカリンさん、君の写真を見せたら、来たのはこの人に間違いないと言っていた」

カリンは薄笑いを浮かべると、下を向いてため息をついた。

「ふー。とうとうバレちゃったか……」

そう言いながら、ポーチの中から奥羽ずん太のフィギュアを取り出すと、そのまま麻衣の胸ポケットへと入れた。どうやらこちらがオリジナルのようだ。

「これで元のずん太くんに戻ったわ」

　カリンは麻衣に向かってにっこりと微笑んだ。

　鈴木弁理士は困惑した表情のままカリンに向かって言った。

「花輪という名字を音読みして『カリン』と名乗っていたんだね」

「そう。私、司っていう、男性みたいな名前が嫌いだったから……」

「スパイ活動を目的に私に近づいたなんて」

　鈴木弁理士の目には涙が浮かんでいた。

　カリンが申し訳なさそうに言った。

「ごめんなさい。佐和子ちゃんを手伝うように専務に言われちゃって……。私もサラリーマンだから上司の言うことには従わざるを得ないわ。会社には拾ってもらった恩もあるしね。ずん太くんのフィギュアをコピーした盗聴器を作るのは結構大変だったわ」

「ゴロテックの模倣技術を使えば、本物そっくりの形をした盗聴器を作ることなんて、造作もないことだろう」

「いえいえ、それが意外と大変なのよ」

　鈴木弁理士はカリンに向かって言った。

「それと、じつは私の身近なところにも盗聴器があったんだ」

　そう言うと、鈴がついた動物用の首輪をカウンターの上に置いた。ミケスケが普段つけているものとそっくりだ。

　カリンは鈴木弁理士を見ながら言った。

「ゴロテックが通販サイトで販売している首輪型ＩＣレコーダー……」

「そうだ。最後まで謎として解けなかったのが、こちらが出願した一日前という絶妙のタイミングでゴロテックが同じ内容を出願していたことだった。佐和子さんが出願内容を盗み見ることができたのは事実だが、私がどの日に出願するかは知る術がなかったはずだ。一月九日に出願することは、事務所の中で麻衣さん、裕君、次郎君の三人には伝えたけど、それ以外の人には話していない。可能性として考えられるのは、ミケスケの首輪に仕掛けられた盗聴器しかない。このゴロテック製品は一日で電池が切れてしまうし、録音された音声は逐次メモリから取り出す必要があるけど、普段から店に出入りしている君ならミケスケの首から取り外しができる機会はいくらでもあったはずだ」

　カリンはその場で拍手をはじめた。

「さすが、私が見込んだ男性だけのことはあるわ。首輪の仕掛けが知られるのは時間の問題だと思っていたから、ずん太くんのフィギュアを入れ替えた後、すぐに、ミケスケの首輪はオリジナルに戻したのよ。案の定、その後、先生は首輪を調べていましたね」

　鈴木弁理士がカリンに向かって言った。

「ゴロテックがミケスケの商標登録出願をしていたけど、それも君の仕業だったんだね」

「ええ。私は商標の担当ではないのだけど、鈴木先生から商品やサービスが類似しないものであれば、商標登録を受けられる可能性があると教わったから、試しに出してみたの。無事に登録できたけど、ご迷惑をおかけしたから、商標権はお譲りするわ」

「実際に使うことのない商品やサービスが指定されたものだから、そんなことをされてもこちらが困るよ。権利を放棄してくれればそれでじゅうぶんだ」

「ああ、そうね。先生に教わったことを思い出したわ。不使用取消審判[*35]で取り消されてしまうリスクが出てくるだけですものね」

「さすがだね。よく覚えている。君なら弁理士試験にすぐ合格できると思うよ」

「さあ、どうかしら？　博士号を取るのも大変だったけど、難関資格試験も一筋縄ではいかないと思うわ。それに、学位にしても資格にしても、この国では社会的にちゃんと機能しているのかしら？　素人ばかりで回していて、都合のよいときだけ専門家を利用しているようでは、いつか必ず社会として限界が来るわ」

「たしかに、プロフェッショナルをリスペクトする社会的な下地は、まだじゅうぶんできていないかもしれない」

「ところで、ゴロテックが指定していた回答期限は今日だけど、結局、クロスライセンスには応じることにしたのかしら？」

「いや、答えはＮＯだ」

「それは、ＧＲＳの特許性を否定できる証拠が見つかったから？」

「いや、結局、証拠は見つからなかった。それに、今となっては証拠を探し出す必要もなくなったのでね」

カリンは意外そうな表情で聞いた。

「必要がなくなった？」

「ああ。麻衣さんたちが、ＲＩＫＯよりも優れた『ＲＩＫＯ２』を開発したからね」

「ＲＩＫＯ２ねえ……。いつの間にそんなものを」

「幸いなことに義男君が徐々に回復してきてね。彼が中心となってＧＲＳ特許を回避できる新しい技術を開発したんだ。タカミネの技術の優れた点も取り入れた」

「そうなのね。ところで、あの不幸な交通事故は、私たちが仕掛けたものではないわ。それだけは信じてちょうだい。まあ、私たちが義男君をヘッドハンティングしようとしたから、あの事故に遭(あ)ってしまったと考えることもできなくはないけど……。でも、回復してきているのは本当に嬉(うれ)しいニュースだわ」

カリンは心底からホッとしたような表情を浮かべた。その表情を見て、彼女は根っから

＊35　不使用取消審判　日本国内で継続して三年以上使用していない登録商標について、その登録取り消しを求める審判のこと。

の悪人ではないのだなと感じた。

鈴木弁理士がカリンに向かって言った。

「ナデシコのコンペで使用するベラリオンや、タカミネのフルクックの最新バージョンには、ＲＩＫＯ２を搭載することになっている。ＧＲＳ特許を侵害するものではないから、法的にも何ら問題はない」

「優秀な弁理士である鈴木先生が断言できるくらいだから、本当にＧＲＳ特許を侵害するものではないようね。まあ、じつを言うと、あの特許を取ること自体に私は反対だったのよ」

「反対だった？」

「ええ、度が過ぎていたと思うわ。最終的にＳＴＥＰの技術を手に入れるためだとしても、別の方法もあったはずよ。うちの専務って、大企業に対してはえげつないことをたくさんしてきたけど、本来は地道に努力している麻衣さんみたいな人たちを敵に回すような人じゃないの。ああ見えても、結構しっかりした経営哲学を持っているから。女性が絡むと判断がおかしくなるのかしら？　いずれにせよ、麻衣さんたちが開発したＲＩＫＯ２とやらがどれだけ優れているのか、ナデシコのコンペでわかるわね。楽しみだわ」

カリンは立ち上がると、突然、鈴木弁理士に口づけをした。驚いた鈴木弁理士は目を丸くした。

「本当に好きだったわ、先生……。違う状況でお会いしたかった」

カリンが唇を離すと、鈴木弁理士は顔を紅潮させながら右手で口元を押さえた。

「カ、カリンさん……」

「さようなら」

カリンは鈴木弁理士を見て悲しそうな表情をすると、そのまま店の外へと駆け出していった。

19

十一月三十日。「ナデシコ・アシスタント・システム 公開コンペティション」の決戦当日の朝を迎えた。

ボク、麻衣、百合、次郎の四人は、実演の道具一式をスーツケースとリュックサックに入れ、大阪環状線に乗っていた。京橋駅を過ぎると、進行方向右側の車窓から大阪ビジネスパークの高層ビル群が見えてきた。新宿新都心と比べると余裕のあるビルの配置となっている。見上げると、雲ひとつなく晴れ渡っている大阪の空が広がっていた。今日は空気が澄んでいるのか、空が随分と青く感じる。

百合は大阪に来たのが初めてらしく、目を輝かせながらしきりにキョロキョロしている。

ボクの隣にいた次郎が外を見ながら言った。

「戻ってきてしもうたのお、この街に……」

大阪で過ごした辛い日々のことが頭をよぎっているのかもしれない。

立派に聳(そび)える大阪城の天守閣と、川沿いにある大阪城ホールが見えてきた。

この日に向けて、ロボ研メンバーはタカミネの技術陣のサポートを受けつつ、一丸となって準備を進めてきた。

ベラリオンについては、ナデシコからの料理番号を受信して食材を選択・移動する機能を追加し、フルクックにも必要なカスタマイズを施した。

大変だったのは、新たな食材認識技術であるＲＩＫＯ２の開発である。ＧＲＳ特許を回避するだけではなく、既存のＲＩＫＯよりも高性能にする必要があったからだ。これについては、タカミネが独自に開発していた技術も大いに役立った。

ＳＴＥＰについても改良を進めた。これまで以上に高速かつ正確に動作するよう、その制御について様々な工夫を加えたのだ。特に、義男が関与したことで、各種のパラメーターが最適化され、動きがさらに洗練された。麻衣は単なる改良に留まらない新たな段階に入ったと判断し、新技術を「ＳＴＥＰ２」と命名した。

百合はプログラミングの手伝いのほか、コンペ当日に麻衣が読み上げる台本を仕上げた。勝利者インタビューやその後の質疑応答の受け答えまで準備する用意周到ぶりだ。

大阪城公園駅で電車を降り、公園内を西に向かって歩いていると、大阪城ホールのドーム状の屋根が近づいてきた。右側に目をやると、水上バスの乗り場がある。天気もよいので水上バスに乗りたいところだが、それはコンペの終了後にしよう。

大阪城ホールの中に入った。ここは四方を観客席で囲まれたアリーナであり、中央の床部分は想像以上にだだっ広い。観客席エリアの南側中央はボックス席となっており、ボックス席から見て、左側がゴロテック、右側が杉本製作所の実演エリアとなっていた。

東京会場の説明会にはこの二社しか参加しておらず、大阪会場の説明会には一社だけが参加した。その会社は一台のロボットですべての作業をこなすことを目指していたが、コンペ当日までには間に合わないと判断し、最終的にコンペ参加を断念したという。それにより、ゴロテックと杉本製作所の一騎打ちとなったのである。

左右の実演エリアには、それぞれ白線で描かれた正方形が横一列に六つ並んで描かれていた。ボックス席の目の前にある正方形には、それぞれ大きく「1」の番号が白線で描かれており、そこからそれぞれ端に向かって「2」から「6」の番号が順番に振られていた。今回のコンペでは全部で六種類の料理を完成させる必要があることから、この二セットある六つの正方形がそれぞれの料理の調理エリアとなっている。

目を凝らすと、すべての調理エリアに、大型冷蔵庫と、調味料ラック及び水・牛乳がそれぞれ入ったふたつのビーカーを載せた長机がセットで置かれている。実演に必要な食材や調味料もすべて用意されていれば、主催者側の準備はもう完了していることになる。

ボックス席の目の前にある「1」と書かれた調理エリアの手前側が、両チームに与えられた準備エリアとなっていた。ちょうどボックス席の真下となる。

ボクたち杉本製作所の一行は、グレーの作業服に着替えた後、右側の準備エリアに入った。事前に送っておいた六台のフルクックを入れた段ボールの箱が重ねて置かれていた。ボクはスーツケースからベラリオンを外に出すと、次郎と一緒に最終的な調整作業を開始した。麻衣と百合は手続きのために事務局へと向かった。

すぐ横の左側の準備エリアに目をやると、ゴロテック側のスタッフと思しき人物が三名ほど現れた。その中の大柄の男が、右手を上げながらこちらに近づいてきた。額には赤いハチマキを巻いている。なんと、あの御木本喜太郎ではないか。胸に「GOROTECH」と書かれた青いジャージを着ている。

喜太郎は次郎と目が合うと、甲高い声で話しかけてきた。

「こんにちは。おひさしぶりでございます」

「お、おまえ、何でここにいるんや？　そのジャージ、ゴロテックで働いてるんか？」

次郎は明らかに当惑していた。

喜太郎は頭を掻きながら答えた。

「じつは、数カ月前、ゴロテックに勤務時間限定社員として入社したんです。今回は、コンペの総技術責任者として大阪に参りました」

「総技術責任者やて?」

ゴロテックの準備エリアに目をやると、二人の男性スタッフが、大きな布で覆われた一台の人型ロボットを出入口から移動させているところだった。そのシルエットを見る限り、喜太郎が作ったロボットに違いなかった。

「例の専業主婦ロボットかいな?」

「はい、そのとおりです。私の開発したサワコです」

次郎が腹立たしそうに言った。

「あの怪しげなロボットをサワコと呼ぶのは、いい加減やめんか!」

「す、すみません。サ、サワコ、じゃなかった、私のロボットですけど、大王飯店で見ていただいたように、本来はこれ一台に様々な調理をさせることが可能です。ですが、今回は経営陣の判断で、弊社製の自動調理器、クックコックが調理を担当することになりました。こちらのロボットは、クックコックに食材や調味料を投げ込む役というわけです」

「クックコックといったら、タカミネのフルクックのコピー商品やろ?」

「何を言うんです。弊社の認識では、フルクックこそ、クックコックのパクリです」

ボクは布で覆われたロボットを見ながら尋ねた。

「大王飯店のアグネスはボクたちの目の前で爆破されてしまったよね。このロボットは、いったいどこから?」

「もちろん、湧(わ)いて出てきたわけではないです。もともと、ゴロテックからは昨年のクリスマス商戦のときに購入希望があったんです。でも、当時一台しかなく、それは大王飯店に売ることに決めていたので、新たにゴロテック用に、もう一台作ったんですよ。皆さんが私の自宅に来られた際に、製作中とお答えしたのがこのロボットです。完成したものを丹羽専務にお渡ししたところ、コンペの総技術責任者としてスカウトされたんです」

　次郎が不愉快そうな顔をしながら言った。

「なんやて?　丹羽にスカウトされた?」

「はい。こんなに優れた技術を持つ君が、なぜこれまで埋もれていたのか自分には理解できないと話されていました。丹羽専務曰く、私には能力に見合った地位が必要であると……。地位が人を育て、人を作るそうです。私もそう思います。そして成果を出していけば、いつかきっと佐和子さんも振り向いてくれるのではないかと……」

　佐和子が喜太郎に好意を持つことはないと思うが、丹羽直人、なかなか巧みな口説き方をする。佐和子を籠絡(ろうらく)し、カリンを付き従わせているわけだから、やはり侮れない人物だ。

　次郎は喜太郎の話を真に受けていないようだ。

「うまいこと言いくるめられとるな。早く足を洗った方がええと思うわ。それにおまえ、ガンラボで入手した秘密情報を、じゃんじゃん丹羽に流しておるんやないやろな?」

喜太郎は首を大きく左右に振った。

「滅相もない。そんなことしていません。そもそも、私はガンラボの秘密情報なんて知りません。たしかに一度だけ魔が差したことがありましたが、あのときだけです。それに、あれ以来、私も猛省して真面目な技術者として第一歩を踏み出すことにしたんです。会社にいる他の人たちときちんと話ができるように、話し方教室にも通いはじめました」

真面目な技術者として第一歩を踏み出すための会社が、なぜゴロテックなのかについては疑問が残るが、喜太郎の言葉に偽りはなさそうだ。

こちらに近づいてきた麻衣が喜太郎に尋ねた。

「破壊されたロボットにはＲＩＫＯが搭載されていたけど、このロボットにもＲＩＫＯが使われているの？」

喜太郎は困惑したような顔で答えた。

「いいえ。ゴロテックの開発したＧＲＳというものに入れ替えてあります。じつはゴロテック側にロボットを納品した際、ＲＩＫＯの技術を盗み出したことを猛省していた私は、ＲＩＫＯの代わりに既存の認識技術を搭載したものをお渡ししました。ところが、丹羽専務からＧＲＳを使うよう指示されたのです。実装後に動作検証してみましたが、素晴らしい認識精度で、以前のＲＩＫＯとの違いが全然わからないくらいです」

それはそうだろう。ＲＩＫＯとＧＲＳは、基本的に同じ技術だからだ。

「私も準備がありますので、これにて失礼します。またお会いしましょう」

喜太郎はそう言い残して背を向けると、ゴロテック側の準備エリアへと戻っていった。

麻衣がボクの横に来て尋ねた。

「裕、どう思う？　タカミネのフルクックとゴロテックのクックコックの優劣はよくわからないけど、喜太郎のロボットなんかにベラリオンが負けるかしら？」

「それはないと思うよ。周さんがお店で流してくれた映像を見た限りでは、向こうのロボットは動作があまりにも遅くて、ＳＴＥＰ２を搭載したベラリオンとは比べ物にならないと思う。速さの点ではこちらの勝ちだろうね」

観客席に人がぞろぞろと座りはじめた。腕時計に目をやると、一般客の入場時間となったようだ。今日のコンペは満員と聞いている。一万六千もの人たちの視線を浴びるのかと思うと、今から緊張してくる。

実演の開始時刻が近づく中、一台の車いすに乗った人物が杉本製作所の準備エリアにやってきた。牛乳瓶の底のような分厚いレンズのメガネをかけている。リハビリ中の義男だった。

百合が驚いて声を上げた。

「よ、義男さんじゃないですか！　大阪まで来て大丈夫なんですかあ？」

「ああ、新横浜から新大阪くらいまでなら、新幹線で移動しても問題ないって、お医者さんに言われたんだ。邪魔はしないから、チームの一員として参加させてもらえないかな?」

「全然問題ないですよ！　そうですよね、麻衣さん?」

百合が麻衣の方を向くと、麻衣は激しくうなずきながら言った。

「もちろん、大歓迎よ！　義男君、大阪まで来てくれて、本当にありがとう」

義男はゴロテックの準備エリアの方を向いて言った。

「ゴロテック側の技術に特に進展がなければ、こちらが負けることは絶対ないよ。麻衣さんから話を聞いて、ゴロテックが本当にひどい会社だとわかった。そんなところに転職しようとしたから事故に遭ったりしたんだ……。罰が当たったんだね」

麻衣は義男の両肩にその両手を置いて言った。

「何言ってるのよ。次郎がブラックな経営をしていたせいよ。気の迷いは誰にでもあるわ。気にしないで」

セッティングが終わったので、ボクたちはフルクック六台を台車に載せ、ボックス席から最も離れた「6」の調理エリアへと移動した。開催要項に基づき、六台のフルクックを「6」から「1」まで逆順に、それぞれの長机の上に設置していくためである。そして、最後の「1」の調理エリアまでやってきたボクたちがフルクックを設置しはじめると、「頑張ってー」という声が後方から聞こえてきた。

振り返ると、杉本製作所側のボックス席から、鈴木弁理士と玲、さらにタカミネの高峰社長、渋沢部長、伏見室長が手を振っている。各チームの招待客が最大五名のところ、麻衣がこの五名を招いたのだ。

ボクたちが声援に応えていると、隣接するもうひとつの「1」の調理エリアにゴロテックの一行が移動してきた。全員が「GOROTECH」と胸に書かれた青のジャージを着ている。彼らが運んでいるのは、六台の自動調理器「クックコック」であった。フルクックよりもひと回り大きい。

先導しているのは専務の丹羽直人で、その斜め後ろを例の秘書らしき女性が歩いていた。このふたりは先ほどまで見かけなかったので、少し前に到着したのだろう。

丹羽と麻衣の目が合った。丹羽は薄笑いを浮かべながら話しかけた。

「GRS特許をつぶすことを断念したそうじゃないか。おとなしくクロスライセンスに応じればよかったものを……」

それを聞いた麻衣は苛立(いらだ)った表情で答えた。

「クロスライセンスなんて論外だわ。あなたたちの特許なんて必要ない」

「我々のGRSよりも優れた新技術を開発したなどという戯言(たわごと)を言い出したことは各所から聞いているがね。麻衣、君には本当に呆(あき)れるばかりだ」

麻衣は丹羽に近づくと、目を吊(つ)り上げながら言った。

「戯言なんかじゃない。私たちのＲＩＫＯ２の実力を侮ってもらっては困るわ。このコンペでは私たちが必ず勝利する」

「たいした自信じゃないか。それでは、見せてもらおうか。君たちのＲＩＫＯ２の性能とやらを」

ブー！

大きなブザー音が鳴り響いた。

20

ついに、実演の開始時間となった。

杉本製作所とゴロテックの各チームは、ボックス席の正面に左右に配置されたふたつの「１」の調理エリアまで、それぞれのロボットを移動させた。

司会の女性が現れ、両チームの調理エリアの境目に立つと、観客席を見渡した。

「皆さま、『ナデシコ・アシスタント・システム　公開コンペティション』にお越しいただき、誠にありがとうございます。今回は、ナデシコが受けた注文にしたがって料理を作り、それをナデシコの配膳台に置くまでの一連のシステムを、ふたつのチームが実演します。

六種類の料理が、人の手を介することなくひとつひとつ作られていくんです。今からワクワクしませんか?」

観客席を見ると、隙間がないほど多くの人でびっしりと埋め尽くされている。ますます緊張してきた。

司会の女性は観客に注意事項を説明すると、両チームの参加者に視線を移した。

「杉本製作所の皆さま、ゴロテックの皆さま、互いにご挨拶をお願いします!」

その声を合図に、ボックス席から見て左側にゴロテックの面々、右側に杉本製作所の面々が縦一列に並んだ。

両チームの挨拶が終わると、司会の女性は、それぞれのチームリーダーに対してシステムを紹介するよう促(うなが)した。杉本製作所が先となり、麻衣が説明をはじめた。

麻衣は、杉本製作所のシステムが、ベラリオンとフルクックの組み合わせである点を説明した後、ベラリオンの開発秘話を披露した。具体的には、ベラリオンの誕生の経緯や名前の由来、そして、食材移動ロボットへの転用にあたっての工夫などである。さらに、今回の実演に向けてのSTEP2及びRIKO2の開発における苦労話なども付け加えた。

続いてゴロテックの番となった。

丹羽はゴロテック側のロボットを覆っていた布を取り払った。現れたロボットは、大王飯店のアグネスのような赤いチャイナドレスではなく、黒い服の上に白い割烹着(かっぽうぎ)を着ている。まるで昭和の主婦のようだった。また、その顔はアグネスとは異なり、佐和子というよりも、むしろ麻衣に似ている。

マイクを握った丹羽が説明をはじめた。

「こちらが女中ロボット・マイです」

麻衣は、いきなり挙手してマイクを握って話しはじめた。百合の台本にはない行動だ。

「ちょっと待って。勝手に人の名前をつけないで。それに、この顔、まるで私みたいじゃない？　だいたい、女中って何？　そんな言葉、令和の時代に使うべきものではないわ。これは新手のハラスメントよ」

観客席から、ちらほら拍手が聞こえてきた。

丹羽は愉快そうな表情で話しはじめた。

「『マイ』という名前は、多数の発明を意味する英語の『マルチ・インベンションズ』の『マ』と『イ』から取ったものだ。それに、この顔はＡＩに生成させた実在しない人物の顔だ。言いがかりはやめてもらいたい。それに女中というのは差別語ではなく、歴史的呼称という認識だ。女中という言葉が差別というのなら、お手伝いロボット選手権でメイドを出演させたあなた方も差別者だ」

この発言に対しても、観客席から、ちらりほらりと拍手が聞こえてきた。

司会の女性が顔を歪ませながら話しはじめた。

「な、名前についてては、実演が終わってから話し合ってくださいね。ところで具体的には、どんなシステムなんですか？」

丹羽が答えはじめた。先ほどの喜太郎の説明のように、この女性型ロボットを食材移動ロボットとして使用し、自動調理器「クックコック」と組み合わせるようだ。喜太郎のロボットを改造した程度のものと思われるが、件のロボットをよく見ると、大王飯店のアグネスよりも骨格が全体的にがっしりとしている。今回のコンペに向けて何らかの改良を施したようだ。

両チームのシステムの紹介が終わると、司会の女性は、最後にそれぞれの代表者からひとことコメントを求めた。

麻衣は丹羽の真向かいに立つと、こう言い放った。

「私たちの勝ちね。御木本喜太郎なんかを総技術責任者にしている時点で、そちらの限界は明白だわ」

いきなり個人名を出しても、観客の人たちにとっては意味不明だろう。

丹羽は怯むことなく答えた。

「問題は総合力だ。我々は総合力で君たちを大きく上回っている。勝利するのは我々だ」

実演の時間となった。すべて無人で行うという前提となっていたことから、両チームのメンバーは全員、ボックス席の真下にあるそれぞれの準備エリアに戻った。

しばらくすると、作業服姿の男性が四名ほど現れ、ボックス席の向かい側の真下のところに、テーブルクロスを載せたテーブルを置き、その周囲に六脚の椅子を設置した。続いて男女各三名、計六名の審査員が現れ、そこに腰かけた。手元にある開催案内に目をやると、主催者であるハウゼンの社長、同社とコラボする不動産会社の社長、有名コメディアン、お色気女優、人気アイドル、料理評論家の六名のようである。

そのテーブルに、二体の配膳ロボット「ナデシコ」が近づいてきた。一体は全身が赤色で、もう一体は全身が青色だった。主催者側からは事前に、赤色が杉本製作所側、青色がゴロテック側という説明を受けていた。

六名の審査員はしばらく話し合うと、ハウゼンの社長が赤色のナデシコに、また、不動産会社の社長が青色のナデシコに、ほぼ同時に料理番号を入力した。すると、二体のナデシコは左右に分かれ、それぞれのチームの「1」の調理エリアにある自動調理器の前まで移動し、そこで停止した。食事を受け取るための待機状態となったようだ。

ベラリオンの目が青白く光り、それとほぼ同時にフルクックの受信ランプが緑色に点灯した。ナデシコから送信された料理番号を無事に受信したようだ。

準備エリアの正面に設置された小型ディスプレイにも料理番号と料理名が表示された。一番目の料理は「肉じゃが」であった。

ベラリオンは冷蔵庫に向かって思いきりジャンプした。着地後に直ちに左手で扉を開けると、じゃがいも、玉ねぎ、にんじん、牛バラ肉、しらたきを、右手を使って口にくわえはじめた。STEP2を実装したことで、これまでと比べても素早い動きとなっている。

隣の女性型ロボットを見ると、驚くべきことに、ベラリオンとほぼ同じ速度で食材を収集している。なんと、割烹着の中からは計六本の腕が出ており、阿修羅像のような姿で、そのすべての腕を使っている。割烹着の中に隠れていた四本の腕も使うことで、一度にたくさんの食材を移動することを可能としたのだ。がっしりとした骨格となったのは、複数の腕を稼働できるように改造したためだったのである。敵も侮れない。

再びベラリオンに目をやると、冷蔵庫から取り出した食材をフルクック上部の格子状のエリアに挿入している。その作業を終えて調味料ラックの方に向きを変えると、その口を開け、舌の上に載った状態の計量カップを前方に押し出した。さらにベラリオンの右手のそれぞれの指から大きめの計量スプーンが突出した。ベラリオンは、左手で四つの容器の蓋を開け、右手の各スプーンでそれぞれの内容物をすくい取り、舌の上のカップへと入れた。今回のセットには調味料のラベルが付いていないが、料理が「肉じゃが」なので、「醤油」「日本酒」「みりん」「砂糖」だろう。

隣の女性型ロボットは、計六本の腕の左側一本を容器の開閉用に、そして、右側一本を計量カップの保持用にして、残りの左側二本と右側二本の計四本をスプーンの保持用として使用していた。

ベラリオンがカップの中身をフルクックの調味料挿入口に流し込んで調理開始ボタンを押すと、メロディが鳴って起動音が聞こえはじめた。あとは肉じゃがの完成を待つだけだ。

隣にいる麻衣が話しかけてきた。

「敵のロボットの動きも見ていたけど、ボタンを押すタイミングは、ほとんど同じね」

フルクックとクッククコックの調理時間は、市販品を前提に考えれば、ほぼ同じとなるはずだ。「1」の調理エリアにおける第一ラウンドはほとんど差が出ずに終わりそうである。

審査員六名のいるテーブルを見ると、新たに現れた二体のナデシコが注文を取っているところだった。いずれのナデシコも頭に大きなピンク色のリボンを付けている。同じ色をした六体のナデシコを識別するための目印のようだ。この後もそれぞれ違う目印を付けたナデシコが出てくるのだろう。ヤマトナデシコ六変化である。

六名の審査員が話し終えると、お色気女優が赤色のナデシコに、また、人気アイドルが青色のナデシコに、ほぼ同時に料理番号を入力した。

ベラリオンと女性型ロボットは、それぞれ「1」の調理エリアから、その横にある「2」の調理エリアへと移動を開始した。いずれのチームの調理エリアも、中央にある「1」から端に向かって番号が振られていることから、ふたつのロボットは左右に離れるように移動した。

ベラリオンがジャンプして移動した一方、女性型ロボットはその底部にある車輪を使って比較的ゆっくりと移動したことから、ベラリオンの方がやや早く作業を開始した。

準備エリアの小型ディスプレイに料理番号と料理名が表示された。二番目の料理は「クラムチャウダー」であった。

「2」の調理エリアで繰り広げられた第二ラウンドは、女性型ロボットが、水・牛乳のビーカーを手際よく操作したことから、やや早めに作業を終えた。ベラリオンは追いつかれ、調理開始ボタンを押すタイミングは、再びほぼ同時となった。

その後、第三ラウンドの「さばの味噌煮」、第四ラウンドの「回鍋肉(ホイコーロー)」へと続いた。阿修羅のような六本の腕が想像以上に器用に動くことから、徐々に女性型ロボットの方が優勢となっている。

麻衣が焦ったような声で言った。

「まずいわね。敵のロボットの方が速いじゃないの。このままだと負けてしまうわ」

第五ラウンドは「カレーうどん」だった。ふたつのロボットは調理が進むごとに左右に離れていくため、第五ラウンドが行われる「5」の調理エリアは、会場の中央付近にある準備エリアからはかなり見えにくくなっていた。

麻衣が困ったような表情で言った。

「あの二体、ちょっと距離を取りすぎじゃない？　ここからだと、どちらもよく見えないわね」

ボクは麻衣に目配せして、準備エリアの正面に設置された小型ディスプレイを示した。先ほどから料理番号と料理名を表示しているものだ。ロボットが動き出すと画面が切り替わり、双方のロボットの作業の様子が画面分割によって比較できるようになっていた。麻衣はうなずくと、食い入るようにその画面を見つめた。

女性型ロボットが二十秒ほど優勢のまま、ついに最後の第六ラウンドへと突入した。ゴロテック側の準備エリアにいた丹羽はこちらを向くと大きな声で言った。

「あとひとつで終わりだ。我々の総合力を侮るなと言っただろう。麻衣、まさかロボットの腕を増やすのは反則だ、とか馬鹿げたことは言わないだろうね」

麻衣は一瞬悔しそうな表情を見せたが、そのまま無言で小型ディスプレイに目をやった。最後の料理番号と料理名が表示された。「にらもやし炒め」であった。

ついに、最終決戦がはじまった。先行していたゴロテック側の青色のナデシコが現れた。最後のナデシコは頭に黄色い帽子を被っている。女性型ロボットが作業を開始すると、二十秒ほど遅れて杉本製作所側の赤色のナデシコも現れた。

先行する女性型ロボットを追うベラリオンは、途中まで同じ作業を行った。だが、調味料ラックから調味料をすくい取って口の中の計量カップに入れると、女性型ロボットとは異なる動きをはじめた。突然、その胸部が観音開き（かんのんびら）きとなり、その内部から新たな計量カップを前方に露出させたのである。そしてベラリオンは、調味料ラックから、さらに「オイスターソース」「醤油」「砂糖」と思しき三種類の調味料をすくい取ると、その胸部に露出した新たなカップに、その中身を入れた。そして口の中にある第一のカップの調味料をフルクックに流し込んだ後、少し時間を置いてから胸部にある第二のカップを左手に取り、その中身もフルクックに流し込んだ。

フルクックにおける「にらもやし炒め」の調理では、調味料を「下味用」と「それ以外」のふたつのグループに分け、時間差を置いて二度に分けて投入する必要がある。そのため、ベラリオンはこのような動きをしたのだ。一度だけの投入では済まない点がこれまでの料理とは異なっていた。

一方の女性型ロボットは、下味用の調味料を投入した後、調味料ラックの方に再び向きを変え、それ以外の調味料をすくい取ってから、改めてそれを投入する作業を行った。ベラリオンは調味料ラックでの作業を一度で済ませて二十秒ほど時間を節約したことで、女性型ロボットに追いついた。その結果、それぞれのロボットが調理開始ボタンを押すタイミングは、再びほぼ同時となった。

しばらくすると、それぞれの「1」の調理エリアから、二種類のメロディが重なって聞こえてきた。両チームそれぞれの自動調理器の音だ。杉本製作所側とゴロテック側、双方の第一ラウンドの調理が終了したのである。いずれの自動調理器も、その正面下側から肉じゃがが入った皿を載せたスライド式のトレイを前方へと押し出し、そのままナデシコの配膳台へと載せた。

　完成品を受け取った赤色と青色のそれぞれのナデシコは、審査員席に移動した。審査員たちは大きな拍手でナデシコを迎えた後、早速、運ばれてきた料理を食べはじめた。特に表情を変えずに食べているので、どういった印象を持っているのか、正直よくわからない。

「2」から「6」の調理エリアでの調理もすべて終わり、それぞれの担当のナデシコが完成品を審査員席まで運んだ。最後の料理を運ぶ黄色い帽子を被ったナデシコは、赤色、青色ともに、ほぼ同時に審査員席に到着した。「作業の速さ」という点では、結局引き分けとなったようだ。

　六名の審査員がすべての料理を食べ終わったところで、二十分間の休憩となった。その間も、審査員たちはテーブルを囲んで意見を交わしていた。「完成した料理の味」に関する審査がどのように進んでいるのか気になるところだ。


　休憩時間が終了し、いよいよ結果発表となった。

　ボックス席から見下ろせる場所にステージが設けられ、ハウゼンの社長がそこに上がった。そして封筒から紙片を取り出すと、そこに書かれた優勝チーム名を読み上げた。

「杉本製作所の勝利です！　作業の速さ、完成した料理の味、その両方を総合的に審査した結果、六十点満点で、杉本製作所が五十六点、ゴロテックが四十五点でした。杉本製作所の皆さま、おめでとうございます！」

やった！　ボクたちは因縁の対決に勝利したのだ！

準備エリアにいたボク、麻衣、百合、次郎、義男の五人は、互いに抱き合ったり手のひらを叩き合ったりして喜びを分かち合った。ボックス席にいる鈴木弁理士、玲、高峰社長、渋沢部長、伏見室長もこちらに向かって大きく手を振っている。

司会の女性に促された麻衣はステージに上がると、賞状とトロフィーを受け取った。鳴りやまない拍手の中、司会の女性が麻衣にマイクを向けた。

「優勝、おめでとうございます！　今のお気持ちは？」

「本当に、本当に嬉しいです。応援してくださった皆さま、ありがとうございました！」

麻衣はその場で深々と頭を下げた。大阪城ホールの観客席にいる一万六千名が歓声を上げている。

そこに突然、怒りを露わにした丹羽直人が駆け寄ってきた。審査員席近くのマイクをひったくり、麻衣たちのいるステージに勝手に上がり込むと、観客席を見回しながら大声で叫んだ。

「冗談ではない！　これは茶番だ。みんなグルなんだ。中立的な公開イベントだなんて、嘘っぱちだ！」

麻衣は一歩前に出ると、丹羽に尋ねた。

「どうしてそんなことが言えるのかしら?」

「審査結果で十点以上の差が出るなんて、どう考えてもあり得ない!」

「あり得ない?」

「まず、作業の速さについてだが、そちらの姑息なトリックさえなければ、こちらが勝っていた」

「姑息なトリック?」

「そうだ。最後の料理は調味料を二度に分けて入れる必要がある。普通は調味料ラックに二度行くだろう。それを一度で済ませるなんて……。麻衣、具体的な料理名をあらかじめ知っていたんじゃないのか?」

　麻衣は笑いながら答えた。

「ふふふ。何を言ってるの。料理はさっき、審査員の人たちが相談して決めていたでしょう。六人全員とグルになるなんて不可能よ。そもそも、候補となる料理のリストはすでに受け取っていたんだから、限られた料理の中からどれが選ばれるのか、可能な限り想像して事前に対策を立てるのは当然じゃないかしら? それに調味料を二度に分けて入れる必要があるのは、フルクックの仕様がそうなっているからにすぎないわ。あなたたちのクックコックだっけ、それがフルクックと同じ仕様になっていた理由はわからないけど、結局、そちら側の問題にすぎないということよ」

丹羽は唇を歪めながら、さらに話し続けた。

「まあ、いい。私が納得できないのは、それだけじゃない。何より、完成した料理の味に関する審査についてだ。これまでの検証結果に基づけば、フルクックとクックコックの調理する料理の味にはほとんど差はない。なぜなら、クックコックは基本的にフルクックをコピーしたものだからだ。もちろん、他社特許を回避した設計にはしているが、それによって味に差が出ることはない。また、女中ロボット・マイによる食材の認識率も百パーセントで一切エラーがなかった。要するに、こちらが負けることはあり得ない！」

麻衣は丹羽に向かって話しはじめた。

「私たちが新たに導入したＲＩＫＯ２でも、食材の認識率は百パーセントだったわ。あなたたちの特許の侵害を回避しながら、分光センサーや嗅覚センサーなども組み合わせて複数の機能が補完し合う設計にしたの。タカミネの技術も結集して開発した新しい技術よ。あなたたちがＧＲＳと称しているものよりも高い精度を達成することができるわ」

丹羽は納得のいかない表情で麻衣に言った。

「仮にそうだとしても、今回は両チームとも食材の認識率が百パーセントであったことに変わりはない。であれば、勝負は最悪でも引き分けとなるはずだ」

麻衣は突然大笑いをはじめた。

「ははは。たしかに食材の選択だけを見ればね。でも、調味料がダメダメだったじゃない？」

　丹羽は意外そうな顔で尋ねた。

「ち、調味料だと？」

　丹羽は審査員席に向かった。テーブルの上には完成した料理を盛りつけた皿が並んでいた。丹羽はその場にあった大きめのスプーンを手に取ると、テーブルにあるすべての皿に手を伸ばし、スプーンを使って次々と料理を口の中へと入れた。

「これは！　砂糖と塩を、そして、小麦粉と片栗粉を……。間違えている！　どうして、こんな単純なエラーが……」

　麻衣は小刻みに笑いながら答えた。

「あなたたちのＧＲＳと称する技術は、調味料については完全には対応できていないからよ。もちろん、調味料の容器に貼り付けたラベルにその名前が書かれていれば、文字認識技術を使うことができるから間違えることはないわ。私たちがこれまでこなしてきた実演でも、いつもラベルを付けていた。でも、今日の実演で使った調味料ラックには、内容物のラベルが付いていなかったでしょう？」

　丹羽は慌てて調理エリアに向かい、調味料ラックを凝視した。

「た、たしかにラベルがない！」

　頭を抱えてうずくまる丹羽を麻衣は見下ろしながら言った。

「他人から盗んだ技術だったから、その問題点を把握することもできなかったのね。まあ、問題点が何かあるだろうとは思っていたんでしょう。図々しくも、義男君をゴロテックに入社させてその改良をさせようと目論んでいたわけだから」

そこに車いすに乗った義男が近づいてきた。

「丹羽さん、最初からすべての事情を理解していたら、仮に交通事故に遭わなかったとしても、ゴロテックに入社することは絶対になかったですよ。いくらお金を積まれても……。ここで断言しておきます」

丹羽が立ち上がって麻衣の方を向いた。

「麻衣の言うとおり、今回はＲＩＫＯ２が一枚上だったというわけか」

麻衣が丹羽を睨みつけた。

「技術は日進月歩で進化している。今日最新の技術であっても、明日にはもう古くなっている。アカデミアも産業界も、そうやって進歩してきたことは説明するまでもないわ」

「それは、そのとおりだ……」

「それから、もしかするとあなたは、ＲＩＫＯ２の技術も私たちから盗み出そうと考えているかもしれないわね。でも、そうはいかないわよ。特許出願と同時に早期審査を申請して、無事に特許が成立したわ。昨日、特許庁から『特許証』[*36]が送られてきたところよ」

麻衣はそう言うと、丹羽の目の前に特許証を突き出した。そこには特許権者として杉本製作所とタカミネの社名が書かれていた。

特許証を見つめながら険しい表情で丹羽は言った。

「悔しいが、私の完敗だ」

麻衣が丹羽に向かって言った。

「本当にあなたは他人の技術を盗んでばかり……。盗むことばかりに注力するのは、もうやめにした方がいいわね」

しばらく沈黙した丹羽は、急に冷静な表情になると、麻衣に向かって反論をはじめた。

「だがな、麻衣、人類を進歩させてきたのは模倣なんだよ。そして、我々ゴロテックが様々な技術を模倣してきたことで、世の中に広く技術が行き渡り、その恩恵を受けた人たちも多いんだ。色々と非難する人間は多いが、我々は知的財産を開放する路線を進めている。それと比べると、大企業による中小企業からの知的財産の収奪や技術独占の方が、遥かに世の中を歪(ゆが)ませている。そちらの方がよっぽど罪深い」

麻衣が丹羽に言った。

「特許を開放する路線って言ったけど、節度が必要じゃないかしら？　たとえば、クロス

＊36　特許証　特許権が登録されたときに特許庁長官が特許権者に対して交付する書面のこと。

ライセンスで私たちからSTEPの技術を入手しようとしていたけど、それは自分たちで使うためではなかったのね。鈴木先生が、あなたの会社と親しくしている外国企業の特許出願動向を調べたの。そしたら、軍事用のものばかりが出てきたそうよ。STEPを軍事利用しようとしている会社へのサブライセンス[*37]を目論んでいたのね。たしかに、STEPを使えば様々な重さに対応して大胆かつ繊細な動きができるから、敵陣に突進してから銃器や爆弾を丁寧に取り扱って効率的に攻撃を仕掛けるロボット兵器も可能になるわ」

丹羽が感心した様子で言った。

「よく調べたな。たしかにSTEPは、世界の軍事シーンを根本から変える大きな可能性を秘めている」

麻衣は目に涙を溜めながら言った。

「そんな使い方、私は絶対に認めない」

感情的な返答を受けても、丹羽の声はいたって冷静だった。

「アルフレッド・ノーベルが開発したダイナマイト、ライト兄弟が発明した飛行機、アルベルト・アインシュタインが見いだした質量とエネルギーの関係式$E=mc^2$……。画期的な発明や発見が軍事利用されることが避けられないのは歴史が証明している。発明を平和利用にだけ使おうだなんて、幼稚な理想論にすぎない」

「あなたの目的は、見境なく模倣やライセンスをすることで、お金を儲けることなの？」

「それは違う。先ほども言ったように、優れた技術を広く世の中に普及させようという使命感はある。ＳＴＥＰの技術を軍需産業にサブライセンスしようというのも、そのパーターとして彼らの技術を入手するためだ。麻衣、君は『デュアルユース』という言葉を聞いたことがあるか？　軍事用と民生用のどちらにも使うことのできる技術のことだ。電子レンジはレーダー開発の際の副産物だし、今では身近なＧＰＳの技術も、もともとは軍事衛星による測位システムだった。我々は入手した技術の様々な分野への転用も積極的に進めている。だから、佐和子に話していた内容も決して嘘じゃない」

「そんな理屈……」

「そもそも、君たちのＳＴＥＰにしたって、我々以外の日本企業はどこも興味を持たなかったじゃないか。我々が堅実な無名のスタートアップ企業を支援したり、多くの博士人材を積極的に採用したりしているのも、彼らの可能性にかけているからだ。そこまでしている日本企業がいったいどれだけある？　過去の成功体験にしがみつき旧態依然とした雇用システムを維持しながら、コストダウン以外の目立った改革をしてこなかった他の日本

＊37　サブライセンス　権利者から付与された知的財産（特許発明、登録意匠、登録商標等）を実施・使用するライセンスを、さらに第三者に対してライセンスすることをいう。再許諾（さいきょだく）ということもある。

企業と同じ轍は踏みたくないんだ」

突然、高齢の男性の声が聞こえた。

「直人、もうその辺にしておけ」

ゴロテック側のボックス席からだった。

「おじいさま！」

丹羽は驚いた表情をして、その場でひざまずいた。

ゴロテック側のボックス席の最前列に、杖を持った白髪の男性が現れ、こちらを見下ろした。丹羽が「おじいさま」と呼んだということは、この人物がゴロテックの創業者、丹羽実のようだ。

その老人の体を後方から支えるように、ポニーテールの髪型をした若い女性が立っていた。なんと、カリンではないか！　杉本製作所側のボックス席にいる鈴木弁理士も驚愕の表情を浮かべている。

丹羽老人は真下にいる孫に向かって話しかけた。

「おまえがちゃんとやっておるか、ここにいる花輪をシンガポールから送り込み、色々と情報収集をしておった。おまえの言うことは否定せんが、端的に言って、今回はやりすぎじゃ。花輪にまで技術窃盗の手伝いをさせるばかりか、他人の発明を自分の発明であると偽って特許まで取ってしまうとは……。匿名で他社を中傷するのもいかがなものか？　ゴロテックの企業体質を作ってきたわしが言う立場にはないが、今年で創業からちょうど四十年がたつ。おまえがそれだけしっかりとした理念を持っておるのなら、ゴロテックも社会の公器として次の段階に入っていることを、もう少し自覚してほしい」

丹羽老人はそう言うと、カリンに支えられながらボックス席の後ろへと下がりはじめた。その途中、鈴木弁理士とカリンの目が合った。鈴木弁理士が話しかけた。

「カリンさん、ゴロテックの通販サイトで、二頭身フィギュアや首輪型の盗聴器を販売していたのは、私たちにヒントを与えるためだったんだね……」

カリンは言葉を発しなかったが、その場で軽く微笑むとゆっくりとお辞儀をした。そして、丹羽老人と共にボックス席後方から出ていった。

エピローグ

横浜の街は美しいクリスマスのイルミネーションで彩られている。早いもので、今年も残すところ、あと一週間だ。

クリスマス・イブは、どこもかしこも人通りが多くなるため、夜はゆっくりと自宅でテレビを見て過ごそうかと思っていた。だが、そういうわけにもいかなかった。

昨晩、いきなり麻衣から電話がかかってきたからだ。

「先月のコンペの反省会を、まだやってなかったわね。よかったら一緒に夕食でも取りながら反省会をやらない？」

クリスマス・イブであることを理解したうえで誘っているのだろうか？　おそらくそんなことはないだろう。少なくとも、過去二年間、彼女は他人から指摘されて初めてそのことに気づいていたからだ。

麻衣が指定した横浜駅東口の地下街にあるカフェに到着すると、店の奥で、不愉快そうな顔をしながら麻衣が手を振っていた。

「裕、おそーい!」

ボクは時計に目をやった。たしかに約束の午後七時から三分ほど過ぎている。でも、この程度の遅れで、そこまで怒ることもなかろうに……。

椅子に腰かけ、ウェイトレスにブレンドコーヒーを注文すると、麻衣はボクの方に身を乗り出しながら言った。

「じつは、『トイだらけ』の横浜店で、フルクックと量産型ベラリオンのデモがはじまったのよ」

トイだらけというのは、東京近郊にいくつか店舗を構えている大型玩具店である。メーカーと直接取引をすることで流通コストを抑え、また、店舗を巨大にすることで倉庫の在庫を持たないようにしていることで有名だ。

「あのさ、量産型ベラリオンは、ナデシコカフェの全国展開に合わせて市場に出ることになったから、まだできていないんじゃなかったっけ? 正式な商品名もまだ決まっていないって聞いたけど……」

ボクがそう言うと、麻衣は微笑みながら答えた。

「たしかにそのとおりなんだけど、タカミネが量産機のプロトタイプを試験的にデモすることにしたんですって。店舗と期間を限定してね。せっかくだから、今から様子を見にいかない?」

反省会をすると誘ってきたのに、じつは一緒にデモを見にいくのが目的だったのか……。

「別にいいけど、たしか、トイだらけって、みなとみらい地区にあるんだよね。ここからはちょっと遠いかなあ」

ボクが億劫そうに言うと、麻衣は不満げな顔をしながら言った。

「相変わらずひ弱ね！　ちょっと寒いけど、その厚着だったら大丈夫。散歩しながらゆっくり行きましょう」

ウェイトレスがやってきて、ボクの前にブレンドコーヒーを置いた。だが、麻衣はそれに構わず立ち上がり、白いコートを着込むと、ボクの腕を掴んだ。そして、さっさと自分で会計を済ませると、そのままボクを店外に連れ出した。「散歩しながらゆっくり行きましょう」と、さっき言ったばかりなのだが……。

横浜駅東口の地下街から地上へと出た。海が近いこともあり、冷たい風が吹きつけてくる。身震いしながら十分ほど歩いていると、三階建てのショッピングモールのような巨大なトイだらけの店舗が見えてきた。一階正面から中に入り、「ロボットおもちゃ」と書かれたコーナーに向かうと、人だかりができていることが遠目からも確認できた。

そこでは、先月のコンペと同じような流れで、フルクックとベラリオンを使った料理の実演がなされていた。タカミネとしては、ロボットの実演という名目で子供たちを集めておき、じつは、子供たちと一緒に来ているお母さん方にフルクックを売ろうという作戦のようだ。

「すごいわ！　こんなに大人気だなんて！」

麻衣はうっすらと目に涙を浮かべている。それにつられてボクの目にも涙が溜まってきた。

ふたり揃って感無量な面持ちで佇んでいると、背後から聞き慣れた声がした。

「おやおや、こんなところでビッグカップルを発見するなんて……」

声の主に顔を向けると、鈴木弁理士だった。しかもその横には、百合と玲がいる。いずれもお酒が入っているのか赤い顔をしている。考えてみれば百合ももう二十歳だ。

「あら？　パテカフェ従業員の忘年会ですか？」

麻衣はボクとカップルにされたことを否定することもなく、鈴木弁理士に尋ねた。

「ははは。こちらのお嬢様方が、一緒にイブを過ごしてくれる素敵な男性がいないって言うんだよ。そこで、私がお嬢様方を中華街のレストランにご招待して一緒に豪華な中華料理を食べてきたってわけさ。ここに立ち寄ったのは、麻衣さんからベラリオンのデモをやっているっていう話を聞いたからなんだけどね」

鈴木弁理士は上機嫌だ。

その隣で、百合が鈴木弁理士の右腕に絡みつき、感動した様子で話しはじめた。

「今日、鈴木先生が連れていってくださったお店、人生最高の場所でした！」

普段と比べて異様にテンションが高い。

それに続いて、玲が鈴木弁理士の左腕に絡みつきながら叫んだ。

「今までの中華料理の中でもナンバーワンです。こんなおいしい料理を食べたのは生まれて初めて！　鈴木先生、お金持ち、太っ腹、彼女にしてください！」

そして、ふたり揃って「ごちそうさまでしたー！」と深々と頭を下げていた。鈴木弁理士の奢り？　元町に事務所とカフェを移転したことで金欠状態と聞いていたから、それほどお金はないはずだが……。

ボクは鈴木弁理士に近づくと、その耳元でささやいた。

「いったい、どこに連れていったんですか？」

鈴木弁理士は右手で口を覆うようにしながら小声で答えた。

「ああ、大王飯店だよ。たいしたお金を払ったわけでもないのに、次々と高級なおいしい料理が出てきてね。周さんが出血大サービスしてくれたんだよ」

なるほど。ようやく事態がのみ込めた。

麻衣はその場にいる全員の顔を見回しながら言った。

「次郎と義男君にも声をかけた方がよかったかなあ？」

鈴木弁理士が答えた。

「その点は心配しなくても大丈夫だ。ふたりは今日は予定が入っているそうだよ。義男君はリハビリ中に彼女ができたみたいで、その彼女とデートだと聞いた」

麻衣が嬉しそうな声で言った。

「あら？　義男君にも春が来たのかしら？」

「それと、次郎君のところに佐和子さんが戻ってきてね。今日、ふたりはきょうだい水入らずで過ごしているそうだ」

麻衣が驚いた様子で尋ねた。

「佐和子ちゃんが帰ってきたんですか？　いったいどういうことかしら？」

「やはり、あの後、目が覚めたらしい。自分がやっていることが果たして正しいことなのか、相当悩んだみたいだね」

麻衣は目に涙を浮かべながら言った。

「よかった。佐和子ちゃんが目を覚ましてくれて……」

「警察にも自ら出向くそうだ。それと、スーパー・ジャンピング・ブーツがトミハラ自動車から盗まれた発明であることを示す証拠や、競合他社を中傷するネットの書き込みがゴロテックにより仕掛けられたものであることを示す証拠を、丹羽のところから持ち出すことができたらしい。あと、ついでに話しておくと、次郎君は、対等なパートナーとして義男君と今後のガンラボのことについて真剣に話し合うことにしたと言っていた」

麻衣は安堵した表情で言った。

「義男君をきちんと処遇してあげることにしたのね。よかった」

三人と別れた後、ボクと麻衣は店舗一階の横浜駅とは反対側の入口から外へと出た。麻衣が夜景を見たいと言い出したからだ。

先ほど歩いた道よりもさらに海が近くなり、凍えるような強風が吹きつけてきた。

「ちょ、ちょっと寒すぎるよ。建物の中に戻ろう」

「少しくらいいいじゃない。ほら、夜景がキレイよ……」

麻衣に促されて桜木町方面を見ると、高層ビル群の窓から漏れる光と、美しくライトアップされた大観覧車が目に飛び込んできた。

こんな素晴らしい夜景をふたりきりで見ていると、本物のカップルになったような気さえしてくる。

お互い手袋をつけていたが、麻衣がいきなりボクの手を握ってきた。

「あなたと知り合ってから、私の都合でずっと振り回し続けてしまったけど、いつも文句も言わずに付き合ってくれてありがとう。本当に感謝しているわ」

手袋を介して少しずつ麻衣の体温が伝わってきた。

「そ、そんな、礼を言われても……。ボクも好きで付き合っているという面もあるから……」

「それと、大王飯店でアグネスが爆破されたときの判断、素晴らしかったわ。あのときはお礼を言い忘れてしまって本当にごめんなさい。私を守ってくれてありがとう」

「い、いや、あれはただ、変な音がしていたから。ボ、ボク、耳だけはいいから」

わけのわからない返事になってしまった。麻衣はボクの手を力強く握りしめてきた。緊張で心臓がドキドキする。

「私ね……、優れた発明をして色々な人を幸せにして、世の中に貢献することが夢だった。もっと頑張れば、その夢も叶いそう」

「立派だね。これからもできるだけ君の力になりたいと思う」

「ありがとう。今後も無理のない範囲で協力してもらえると助かるわ。これからもよろしくね」

麻衣はボクの手をさらに力強く握りしめてきた。心臓がバクバクしてきた。冷静さを装うのが大変だ。

「も、もちろんさ。君も全然休まずによく頑張っていると思うよ。少し休んだ方がいいんじゃないかと心配になったことも一度や二度ではないけど……」

「そうね。この年末年始は少し休もうかしら?」

ここでボクは意を決して、本日のプロジェクトを決行することにした。

「と、ところで、杉本……。夜景もこんなにキレイだし、今から一緒にドライブにでも行かない？」

麻衣は顔をほころばせた。

「まあ、素敵！　もちろんよ！　でも、クルマはどこかしら？」

不安そうにキョロキョロしはじめたので、ボクは安心させるように答えた。

「レンタカーを借りたんだ。横浜駅東口の地下駐車場に停めてある。駐車に手間取って、さっきは待ち合わせ時刻に少し遅れてしまったけどね」


駐車場に停めてあったクルマの前までやってきた。

「きゃー、カッコいい！　赤いスポーツカーじゃん！　それも、トミハラのラプラス！」

「どこか行きたいところはある？」

「『港の見える丘公園』がいいわ。横浜ベイブリッジがよく見えるし……」

「お安い御用だ。それでは、しゅっぱーつ！」

クリスマス・イブの夜。美しいイルミネーションで彩られた横浜の街を、赤いスポーツカーが走り抜けた。


（おわり）

知的財産権
入門コラム集

知的財産権とは？（知的財産権の概要）

四十ページで登場した「知的財産権」という言葉。これが本書全体を貫くテーマです。

知的財産権とは、「人間の知的な創造活動によって生み出された経済的な価値のある情報を、財産として保護するための権利」のことです。

つまり、知的財産という「形のない財産」（無体財産）を、お金、パソコン、家などの形のある財産（有体財産）と同じように取り扱おうとしたものです。

知的財産権は、次のページの表のように、大まかに言って、「著作権」「産業財産権」「その他」の三種類に分けられます（「その他」については正式な分類はなく、書籍によってその記載にばらつきがあります）。

そして、何の根拠も正当な理由も持たない第三者が、権利者に無断でその知的財産を使うような行為をした場合、権利者はその行為を差し止めたり、その行為によって生じた損

知的財産権の種類と保護の体系

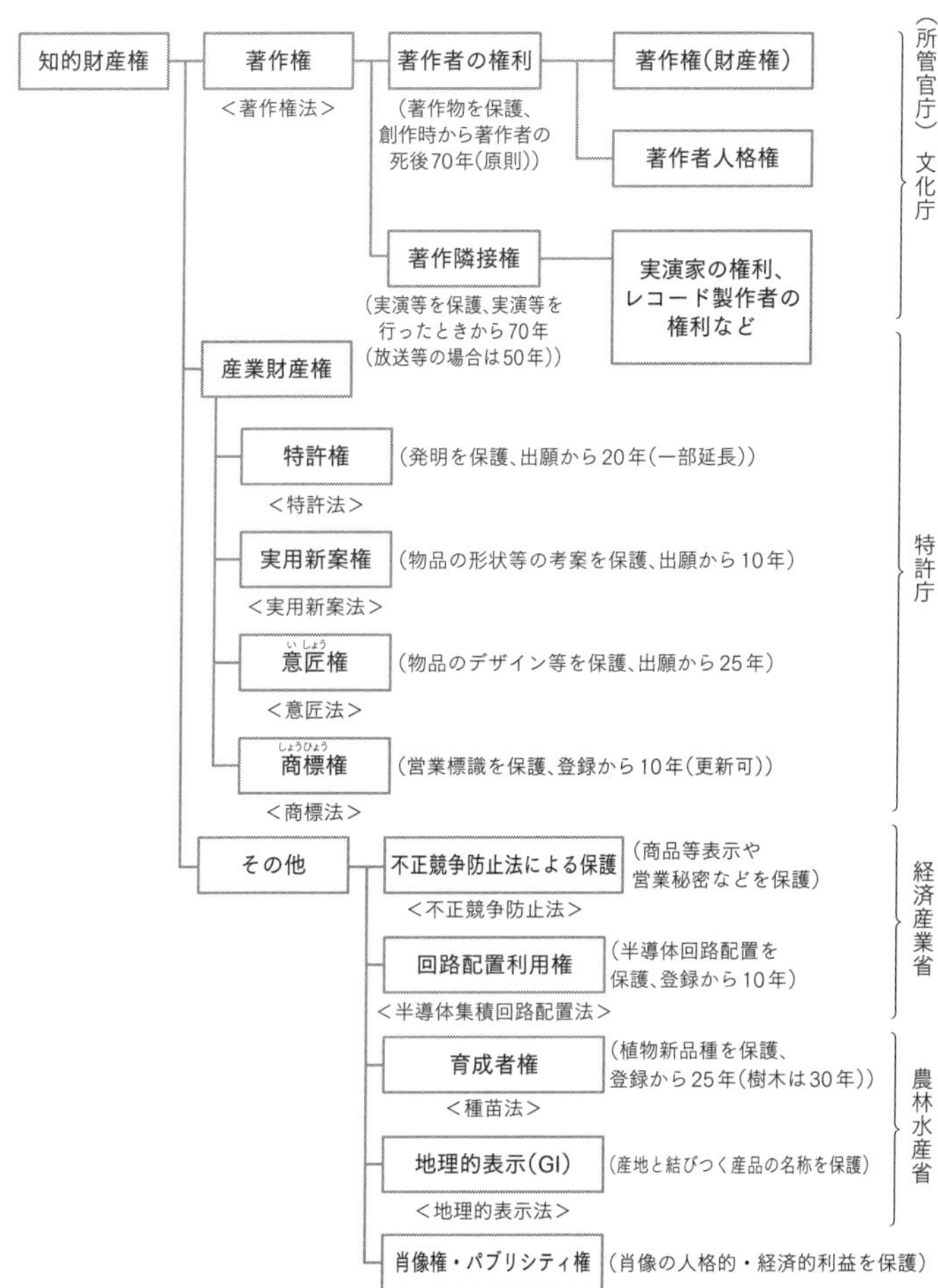

害の賠償を請求したりすることができます。

もちろん、有体財産とは同じように扱えない特有の問題もあります。たとえば、五十四ページで出てきた杉本玲さんの自室に飾られているライオンの絵について考えてみましょう。

玲さんの描いたライオンの絵については、額縁の中に入った紙、つまり有体財産としての側面と、玲さんの思想・感情が反映された表現、つまり知的財産（著作物）としての側面があります。有体物として考えた場合、これが誰かに盗まれれば、モノ自体が消えることで、すぐに気がつきます。その一方で、知的財産（著作物）として考えた場合、これが誰かに盗まれていても、なかなか気がつきません。というのも、玲さんの描いたライオンの絵を誰かが勝手にコピーして販売していても、オリジナルの絵が玲さん自身の手元から消えるわけではないからです。

このような知的財産の特徴を逆手に取ることもできます。たとえば、玲さんが一定のお金を支払ってもらうことを条件に、自分の描いたライオンの絵をコピーすることを他の人に許可して、そのコピーされたものを色々な人に買ってもらえば、多くの収益を上げるビジネスが可能になります。一枚の絵を描いただけで、百枚分、千枚分の売り上げを達成することも可能です。知的財産のことをビジネスをする際の武器として考えた場合、この点は特に重要です。

知的財産権のマトリクス

	知的創造物に関する権利	営業標識に関する権利
自動的に権利が発生	**著作権** （保護対象：文芸、学術、美術、音楽等の著作物） （保護期間：原則、著作者の死後70年 〈法人は公表後70年、映画は公表後70年〉）	
国が権利を付与	**特許権** （保護対象：発明） （保護期間：原則、出願日から20年）	**商標権** （保護対象：商品・サービスの目印） （保護期間：登録日から10年＜更新可＞）
	実用新案権 （保護対象：物品の形状等の考案） （保護期間：出願日から10年）	
	意匠権 （保護対象：物品のデザイン等） （保護期間：出願日から25年）	

知的財産権の中でもメジャーな「特許権」「実用新案権」「意匠権」「商標権」「著作権」の各権利を、その発生条件、種別、保護対象、保護期間の違いに基づいて、わかりやすくマトリクス化したものが上の表です。各権利がその特徴によって大きく三つのタイプに分類できることがおわかりいただけるでしょう。

これらの権利の詳細については、この先で詳しく説明していきます。

ミケスケ・グッズをどう保護する？

（商標権による保護）

五十七ページで、百合さんは鈴木弁理士がミケスケ・グッズについて「商標登録」をしていることに言及しています。この「商標登録」とは何でしょうか？

答えは「商標が特許庁の登録原簿（げんぼ）に登録されること」です。コラム1でご紹介した「商標権」（商標を使用する者に与えられる権利）を発生させるためには、特許庁に出願をして審査を受けてから登録される必要があります。商標登録がされていれば、その商標は商標権で守られていることになり、登録された商標のことを「登録商標」と言います。

商標法で言うところの「商標」とは、他の商品・サービス（法律用語で「役務（えきむ）」といいます）と区別するための目印（営業標識（ひょうしき））のことです。商品・サービスに「商標」が付いていることで、私たちは、同じ商標が付けられた商品・サービスであれば、出所が同じで一定の品質を持っているのだろうと信用することができます。また、商標は私たちが商

様々な商標

文字商標

WALKMAN

アリナミン

結合商標　記号商標　図形商標　立体商標

動き商標	文字や図形等が時間の経過に伴って変化する商標（例えば、テレビやコンピューター画面等に映し出される変化する文字や図形など）
ホログラム商標	文字や図形等がホログラフィーその他の方法により変化する商標（見る角度によって変化して見える文字や図形など）
色彩のみからなる商標	単色又は複数の色彩の組合せのみからなる商標（例えば、商品の包装紙や広告用の看板に使用される色彩など）
音（おと）商標	音楽、音声、自然音等からなる商標であり、聴覚で認識される商標（例えば、CM などに使われるサウンドロゴやパソコンの起動音など）
位置商標	文字や図形等の標章を商品等に付す位置が特定される商標

（特許庁のホームページで挙げられていたものに筆者が加筆）

品・サービスを選択する際の手がかりとなっていることから、商標はそれ自体で広告・宣伝の機能を兼ね備えているといえます。

本編の小説では、鈴木弁理士が商標登録したのは「ミケスケ」の文字商標のみとなっていますが、「他の商品・サービスと区別するための目印」として、文字商標以外であっても登録可能です。たとえば、商品にあしらうミケスケのイラスト、さらにはそれらに基づいて作ったロゴマークや立体的形状も、一定の要件のもと商標登録することができます。また、二〇一四年に商標法が改正され、「動き商標」「ホログラム商標」「色彩のみからなる商標」「音商標」「位置商標」も登録可能となりました。

たとえば、「色彩のみからなる商標」については、トンボ鉛筆の「MONO」ブランドの消しゴムの「青、白、黒の3色柄」や、セブン-イレブンの「白地にオレンジ、グリーン、レッドからなる店頭看板の色彩」などが登録されており、「音商標」については、大正製薬の「ファイトー、イッパーツ！」などが登録されています。

商標権の保護期間は、本来は登録日から十年ですが、何度でも更新が可能なことから、「半永久的な権利」となっています。そのため、長期的な権利の活用も可能です。

注意すべき点は、登録を受けるにあたって、その商標を付ける商品・サービスを指定する必要があり、商標権の取得後に独占的に使用できるのはその範囲に限られることです。鈴木弁理士は文字商標「ミケスケ」を商標登録していますが、鈴木弁理士が登録商標を独

商標権の効力

	同一の商標	類似する商標	類似しない商標
同一の商品・サービス	専用権	禁止権	×
類似する商品・サービス	禁止権	禁止権	×
類似しない商品・サービス	×	×	×

専用権

指定商品・指定役務（サービス）について、登録商標を独占的に使用できる権利

禁止権

類似範囲において第三者による使用を排除できる権利

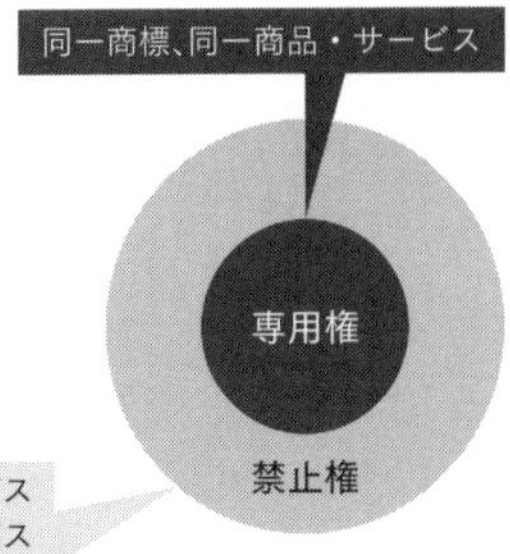

同一商標、同一商品・サービス

専用権

禁止権

同一商標、類似商品・サービス
類似商標、同一商品・サービス
類似商標、類似商品・サービス

占的に使用できるのは、指定した商品・サービスに限られます（これを「専用権」といいます）。

また、他人の使用を排除できるのは、上の図に挙げたように、専用権の範囲とそれに類似する禁止権と呼ばれる範囲となります。類似するかどうかは、その見た目（外観）、呼び方（称呼）、意味合い（観念）から総合的に判断します。

また、商標登録されているものと同じ商標について他人が非類似の商品・サービスを指定して出願した場合、その他人が商標登録してしまう可能性があることには注意が必要です。ただし、商標登録

にあたっては、識別力のない商標、公益に反する商標のほか、出所混同のおそれのある商標など紛らわしい商標は登録できませんから、これら一定の要件を満たしたもののみが登録されることになります。

なお、誤って登録されたものについては「登録異議の申立て」や「商標登録無効審判」により初めから権利をなかったことにすることができますし、日本国内において三年以上使用されていない登録商標については、「不使用取消審判」によりその登録を取り消すことが可能です。

コラム3

ベラリオンのデザインをどう保護する？（意匠権による保護）

六十二ページで、麻衣さんがベラリオンのデザインが意匠登録されたことに触れています。コラム1で紹介した「意匠権」（今までにない新しい意匠の創作をした者に与えられる権利）を発生させるためには、意匠の創作者または創作者から意匠登録を受ける権利を引き継いだ者が、特許庁に出願をして審査を受けてから登録される必要があります。登録された意匠のことを「登録意匠」と言います。

意匠法で言うところの「意匠」とは、主に、美感を起こさせる物品の形状、模様、色彩などのことをいい、早い話が「物品のデザイン」です。さらに、二〇二〇年四月施行の意匠法改正によって保護対象が拡大し、「物品に記録・表示されていない画像のデザイン」「建築物のデザイン」「統一的な美感を起こさせる内装のデザイン」も新たに保護対象となりました。ベラリオンはライオン型ロボットですから、従来の「物品」のカテゴリーに入

意匠権の保護対象の拡充

■物品に記録・表示されていない画像デザインも保護できるよう、「画像」そのものも保護対象に。また、不動産である建築物のデザインも保護できるよう、「建築物」も保護対象に。

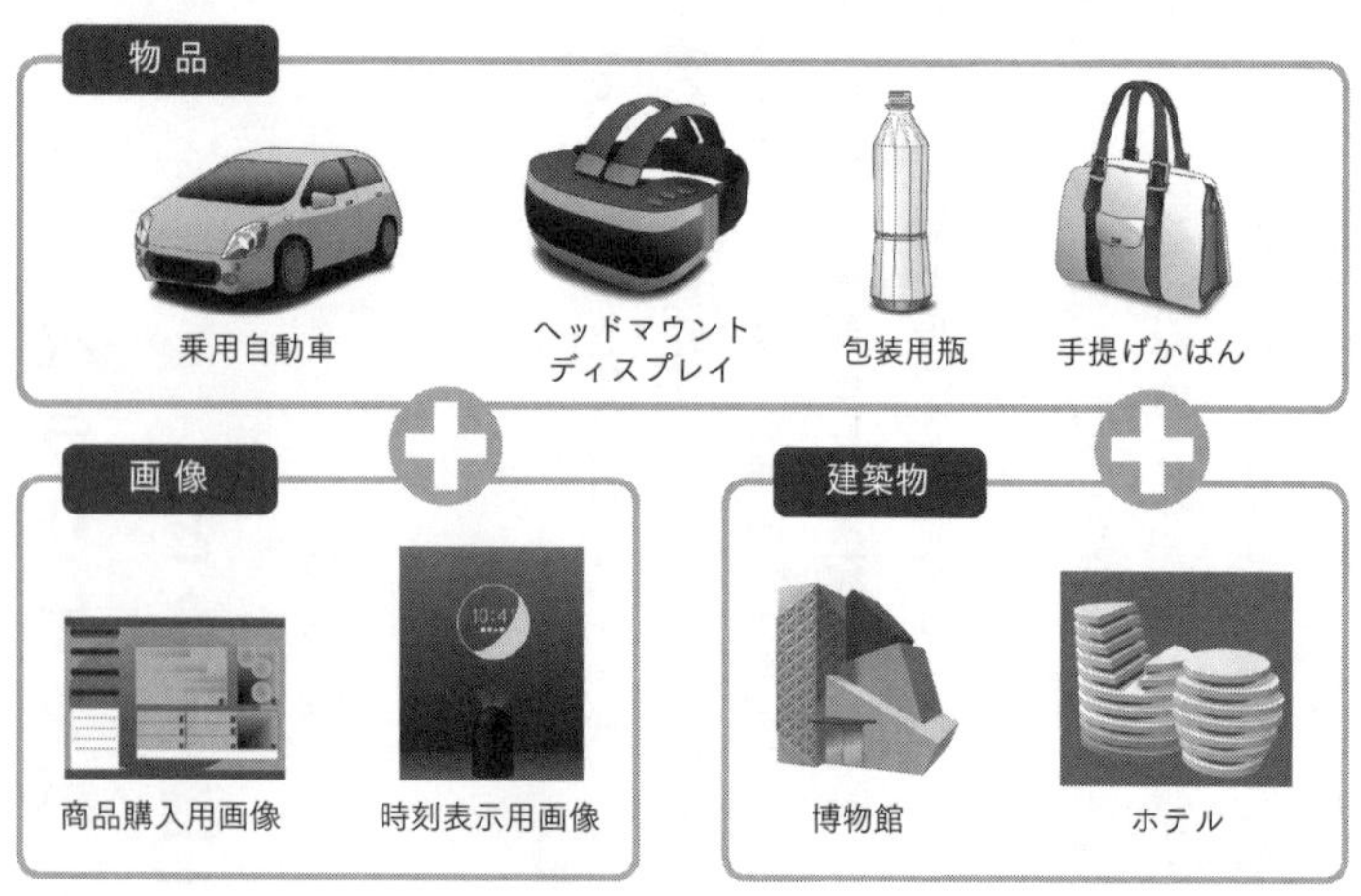

■複数の物品、壁、床、天井等から構成される「内装」のデザインについても、一意匠として登録可能に。

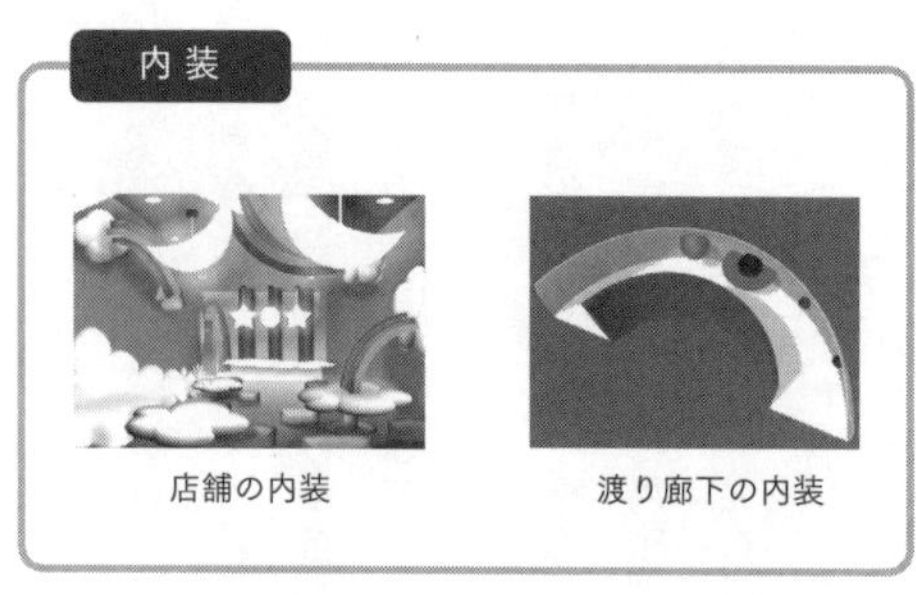

(特許庁「イノベーション・ブランド構築に資する意匠法改正－令和元年改正－」に基づいて作成)

るものとなります。

本編では、玲さんが、妹の麻衣さんに頼まれ、ベラリオンの筐体をデザインします（もちろん、名前の由来となったサイボーグ・ライオンとはまったく別のものです）。プロトタイプが一台しか出てきませんが、その気になれば量産できますので、工業上利用可能性が認められ、意匠権の保護対象となります。しかしながら、これが仮に一品製作ものの彫刻などであった場合は意匠権では保護されず、著作権で保護されることになります（量産品であってもデザイン性の高いものについては、著作権でも保護されることがあります）。

意匠登録するにあたっては、その願書に「意匠に係る物品」を記載する必要があります。ベラリオンはライオン型ロボットですから、たとえば「ロボットおもちゃ」などと記載できます。物品の形態については六面図といって、前後上下左右のそれぞれの方向から見た図面でその形態を特定し、さらにその形態を明確に示すため、斜視図、拡大図、断面図などを追加で提出することが一般的です。

一例として、日産自動車の元会長でレバノンに逃亡したカルロス・ゴーン氏らが創作者となっている意匠登録（意匠登録第１１５２８０９号）を見てみましょう。「意匠に係る物品」は「自動車おもちゃ」です。

次のページの図に示すように、六面図に加えてふたつの斜視図が付いています。

これは、二〇〇一年の「第二回大阪モーターショー」における当時のトミー（現在のタ

意匠登録第１１５２８０９号

前方斜視図

平面図

底面図

正面図

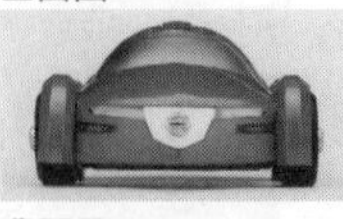

背面図

右側面図

左側面図

後方斜視図

カラトミー）のブースで、「カルロス・ゴーン氏が考える二十年後の未来カー『NEOZERO（ネオゼロ）2020』として展示されたものです。ルーフからリアにかけてソーラーパネルを装備して太陽エネルギーを動力とするそうです。当時のゴーン氏が考えた未来のクルマというわけです。

これは特許庁の審査を経て、日産自動車と旧トミーが共同権利者となりました（現在、権利は維持されていません）。なお、審査においては、今までにない新しい意匠であるか（新規性があるか）、今までのモチーフから容易に創作されたものではないか（創作非容易性があるか）、他人よりも早く出願されているか（先願か）、公序良俗に違反するものではないか、出所混同を生ずるおそれがないか、などが審査されます。

通常の意匠のほか、独創的で特徴ある部分を保護する「部分意匠制度」、バリエーションの意匠を保護する「関連意匠制度」、組物全体として統一があるシステムデザインを保護する「組物の意匠制度」などがあります。

意匠権の存続期間は、二〇二〇年四月施行の意匠法改正によって、出願された日から二十五年となりました（それまでは登録された日から二十年でした）。

意匠権者は、登録意匠と同一または類似の意匠を事業として独占的に使う（実施をする）ことができ、また、自分の意匠権を侵害する他人に対して差止請求や損害賠償請求などをすることができます（類似範囲においても自分で独占的に使うことができる点が商標権とは異なります）。

ベラリオンの技術をどう保護する？（1）
（特許権による保護）

麻衣さんからの依頼を受けて、鈴木弁理士は「特許権」（今までにない新しい発明をした者に与えられる権利）を取得すべく、楽天則とベラリオンに実装（じっそう）したSTEP及びRIKOというふたつの「発明」について特許出願を行います。「発明」とは、わかりやすく言えば、「現状の問題点を解決するための技術的なアイデア」のことです。

発明者または発明者から特許を受ける権利を引き継いだ者が、特許出願をすることができます。そして、特許出願にあたっては、特許を求める発明を特定した「特許請求の範囲」や、発明の詳細な説明などを記載した「明細書」といった書類を、所定のルールにしたがって記載する必要があります。六十二ページで鈴木弁理士は明細書の作成に取りかかると話していました。

特許権取得の流れは次の図のとおりです。

特許権取得の流れ

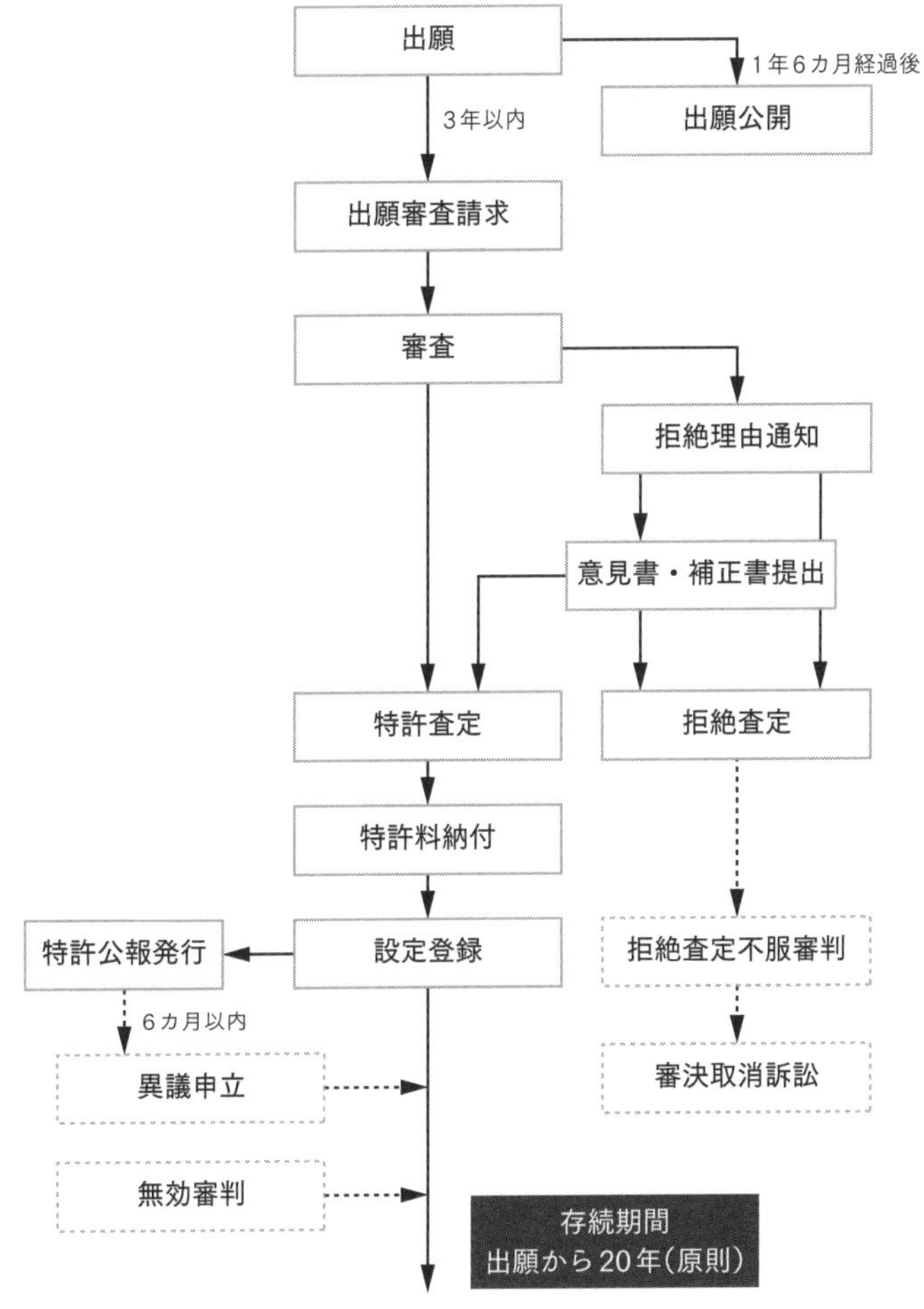
出願
1年6カ月経過後
出願公開
3年以内
出願審査請求
審査
拒絶理由通知
意見書・補正書提出
特許査定
拒絶査定
特許料納付
設定登録
特許公報発行
拒絶査定不服審判
6カ月以内
異議申立
審決取消訴訟
無効審判
存続期間
出願から20年(原則)

商標や意匠の出願とは異なり、特許出願の場合、「出願審査請求」（審査請求）されたものだけが審査の対象となります。また、出願日から三年以内に審査請求をしないと出願は取り下げたものとみなされ、以後、特許にすることはできなくなってしまいます。

すぐに事業化する発明は早期審査を申請することもできますが、本当に特許にする価値があるかどうかわからないものについては、出願から最大三年かけて検討できることになります。本編では、ビジネスで使うあてのなかったＳＴＥＰの特許出願は審査請求されていませんでした。

また、原則として、出願日から一年六カ月を経過後、その内容が「公開公報」（公開特許公報）によって公開されます（出願公開）。「原則」と書いたように、必ずしもこのルールに従うわけではありません。たとえば、早期公開請求をすれば、出願日から一年六カ月を経たずに公開公報が発行されますし、出願公開前に特許が成立すると、特許された内容を掲載する「特許公報」（特許掲載公報）がいきなり発行されます。本編ではゴロテックのＧＲＳ特許の内容が、そういった形で世の人の知るところとなりました。

特許庁の審査では、今までにない新しい発明であるか（新規性があるか）、今までの発明から容易に発明されたものではないか（進歩性があるか）、他人よりも早く出願されているか（先願か）、公序良俗に違反するものではないか、出願書類の記載は規定どおりか、などが審査されます。

そして、審査官が「特許ＯＫ」と判断すれば、「特許査定」（特許をすべき旨の査定）がなされ、出願人が最初の三年分の特許料を納めることで、特許原簿に登録されて特許権が発生します。そして、発生した特許権の内容が「特許公報」に掲載され、出願人のもとには「特許証」が送られてきます。麻衣さんが本編の最後の方で丹羽直人の目の前に突き出した書類ですね（なお、四年目以降も権利を維持したい場合は、特許料を支払い続ける必要があります）。

審査官が「特許ＮＧ」と判断し、それを出願人に知らせる「拒絶理由通知」を送付した場合、出願人は「意見書」による反論や「手続補正書」による補正で対応することができます。そして、拒絶理由が解消されれば「特許査定」がなされますが、依然として拒絶理由が解消されない場合は「拒絶査定」がなされます。

特許証のサンプル

（出典：特許庁ホームページ）

なお、審査官から「拒絶査定」を受けてしまっても、それに不服がある場合は「審判請求」（拒絶査定不服審判）により、審査官よりも上の立場にある審判官に判断してもらうことが可能です。そして審判官から

「特許NG」の決定（拒絶審決）が出された場合でも、知的財産高等裁判所（知財高裁）に出訴すれば、その審決の妥当性を争うことができます（審決取消訴訟）。さらに最後の手段として、最高裁判所（最高裁）に上告することもできます。

存続期間は、原則、出願された日から二十年です。ただし、一定の要件を満たす場合は、その延長ができます。たとえば医薬品など、製造販売の承認までの審査に相当な時間を要する一部の例外については、五年を限度に延長することが可能となっています。

特許権者は、事業として独占的にその特許を使う（実施をする）ことができ、また、自分の特許権を侵害する他人に対して差止請求や損害賠償請求などをすることができます。特許権侵害であるかどうかは、「特許請求の範囲」の記載などによって定まる「特許発明の技術的範囲」に属しているかどうかで判断されます。

ゴロテックの特許権を侵害しないために何ができる？

ゴロテックのＧＲＳ特許が、麻衣さんたちを苦しめます。ＧＲＳがＲＩＫＯとほぼ同一の技術であったことから、ＲＩＫＯをそのまま使うと、ゴロテックの特許権侵害となってしまうからです。特許権侵害とは、何の根拠も正当な理由も持たない第三者が、事業として特許を使うこと（実施をすること）や、侵害を引き起こす可能性の高い一定の予備的な行為をすることを指します。

それでは、他人の特許権を侵害しないために、何ができるでしょうか？

まず、形式的に特許権を侵害していても、実質的には侵害に該当しないケースがあります。たとえば、他人の特許を事業として使っていない場合や、試験・研究の目的で使っているときなどです。こういった場合は特許権者からライセンスを受ける必要はありません。

そのほか、本編でも触れた「先使用権」がある場合も、特許権侵害には該当しません。

「先使用権」は、特許権者が特許出願をする前から、その発明の内容を知らないで自ら発明をしたり、または自ら発明をした人から知り得たりして、その発明を使う事業をやっている場合や、その準備をしている場合に認められるものです。

本編では、鈴木弁理士が佐和子さんをおびき出す大芝居を打つために、「大王飯店の周さんがＲＩＫＯの技術内容が記載されたマニュアルについて公証役場で確定日付印を押してもらう」というエピソードを創作しました。

これは、先使用権を主張するために非常に重要な手続きです。しかしながら、先使用権を主張するには、発明が「別起源」であるなど「発明知得の経路（ルート）が正当であること」が必要です。今回のケースでは、大王飯店のアグネスに搭載された食材認識技術はＲＩＫＯそのものであり、麻衣さんたちの発明と「同一起源」となりますから、仮に公証役場で確定日付印を押してもらっていたのだとしても、麻衣さんたちが特許権者となった場合は、先使用権は主張できないことになります（ただし、アグネスについては「特許出願の時から日本国内にある物」として、特許権の効力が及ばない可能性はあります）。

特許権侵害を回避する対処法として、もっともシンプルなのは、その特許を使わないことです。ですから、ゴロテックからＧＲＳ特許を侵害していると警告を受けた際、麻衣さんたちはヨドビク電機での実演を一時中断しましたし、タカミネはフルクックの新バージョンにＲＩＫＯの代わりに既存の技術を搭載することにしました。

特許権侵害の説明図

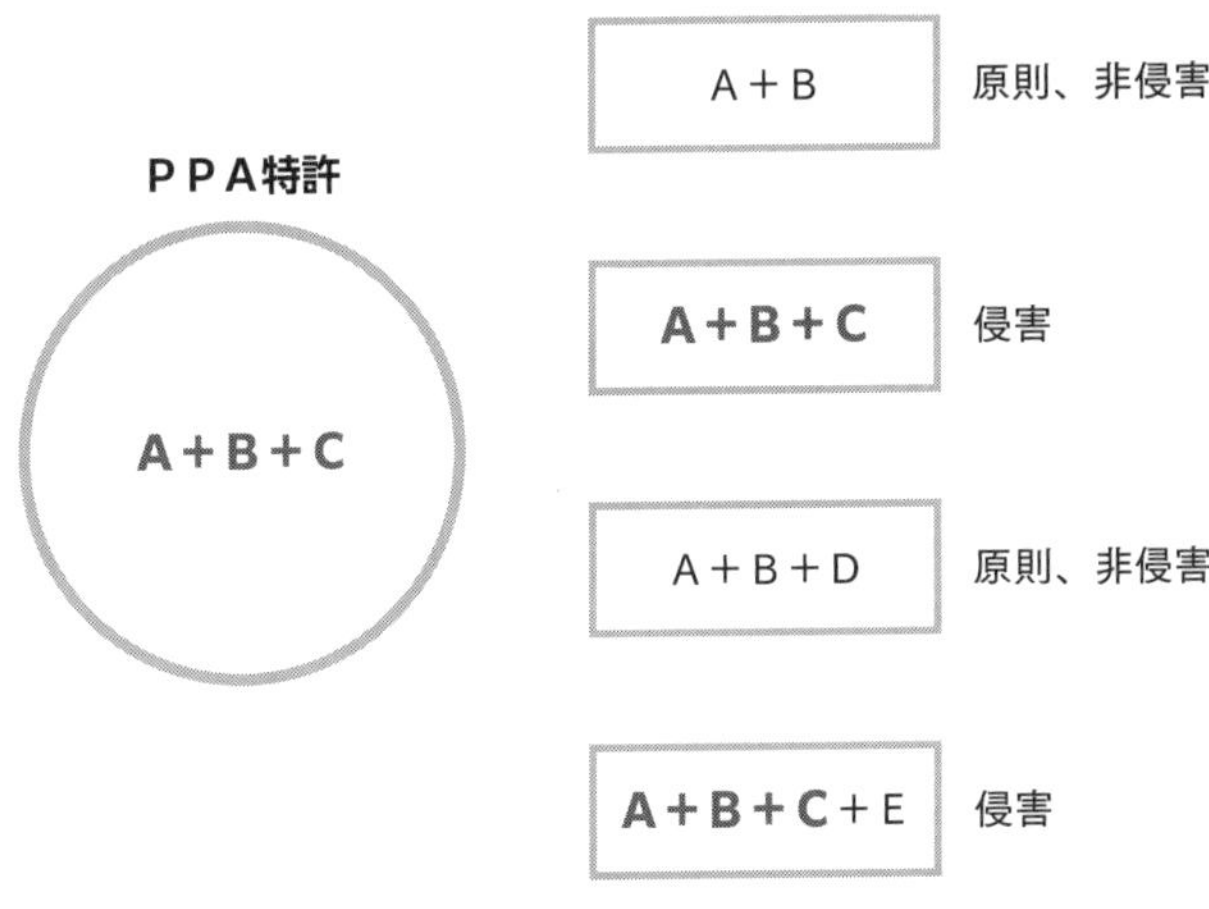

ここまで極端なことをせず、少し設計を変更して他人の特許権侵害を回避することもよく行われています。他人の特許発明の技術的範囲から外れるような工夫をするのです。

本編でも登場したタカミネ製「フルクック」とゴロテック製「クックコック」について考えてみましょう。タカミネ製「フルクック」には麻衣さんたちが発明した自動調理器による調理の前後工程を自動化した「ＰＰＡ」という技術がライセンスされていました。

ここで、ＰＰＡの特許の「特許請求の範囲」に、「ＡとＢとＣからなる装置」と書かれていたと仮定しましょう。ゴロテック製「クックコック」は、ＰＰＡの特許を微妙にかいくぐる設計となっていたようです

特許権の利用形態

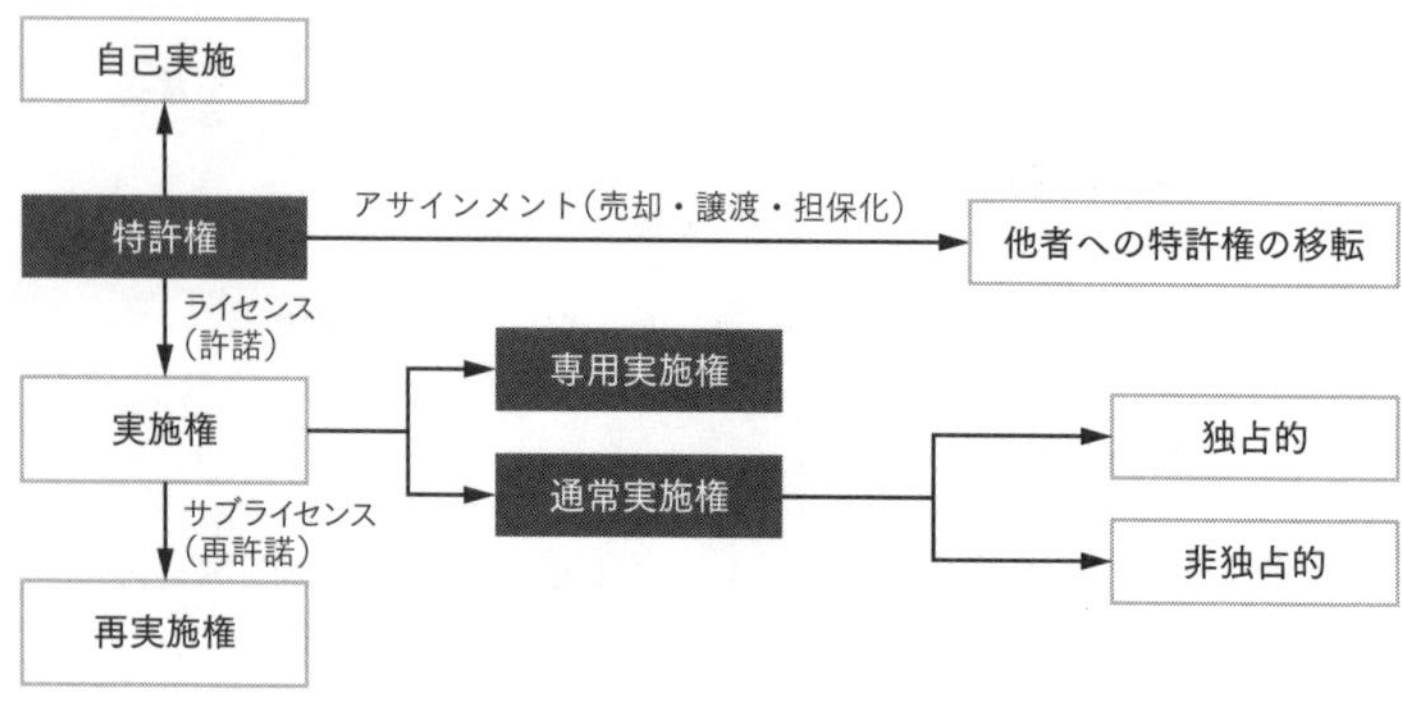

から、おそらく「AとBからなる装置」であったり、「AとBとDからなる装置」であったりしたのでしょう。前のページの図に示したとおり、いずれの場合も、原則として、特許権の侵害とはなりません。

もちろん、本作でも述べているとおり、設計変更をすると使い勝手が悪くなることも多々あります。そのため、特許権者と交渉してライセンス（許諾）を受けるのでも構いません。

ライセンスで与えられる実施権には、「専用実施権」と「通常実施権」のふたつがあります。

専用実施権は、設定された範囲においては特許権と同様の独占権であり、その範囲内では特許権者自身も特許が使えなくなる点には注意が必要です。その一方で、通常実施権を許諾した場合は、特許権者は自分で特許を使うことができますし、重ねて別の第三者に通常実施権を許諾することもできます。他の人には通常実施権を与えないことを前提とした独占的な通常実施権もあります。

また、特許が成立する前のライセンスについては、「仮専用実施権」と「仮通常実施権」という言葉を使います。特許が成立しない可能性もあることから、「仮」が付いているわけですね。そして、ライセンスを受けた者がさらに別の者にライセンスすることを「サブライセンス」（再許諾）といいます。

もちろん、特許権者が交渉に応じないこともありますし、ゴロテックのように多額のライセンス料を要求してくる場合もあります。そのため、ライセンス交渉を有利に進める方法としてよく用いられるのが「クロスライセンス」です。これは、自分が相手側の特許を使いたいとき、相手側からその特許をライセンスしてもらう代わりに、自分が持っている特許で相手側が使いたがっているものをライセンスすることをいいます。本編では、丹羽直人が、ゴロテックのＧＲＳと麻衣さんたちのＳＴＥＰとのクロスライセンスを提案していました。

ゴロテックの特許権をつぶすために何ができる？

ゴロテックの特許権を侵害しないために、その特許自体をつぶしてしまうことも検討すべきです。麻衣さんたちも、ゴロテックの特許をつぶそうとしていました。

実際に、新規性や進歩性がないのに、誤って特許が成立していることがあります。このように誤って特許が成立している場合、特許公報の発行後六カ月以内であれば「特許異議の申立て」、それ以降でも、その特許の存在によって法律上の利益などに影響が及ぶ利害関係人は「特許無効審判」の請求をすることが可能です。そして、特許庁に認められれば、その特許は初めからなかったものとみなされます。

ゴロテックのＧＲＳ特許が厄介だったのは、その翌日に出願されたＲＩＫＯとほぼ同じ内容だったからです。コラム４でも紹介したように、「他人よりも早く出願したか」（先願か）という点が、特許が取れるかどうかのポイントのひとつとなります。そして、同じ発

RIKOの情報流出と2件の出願の時期的な関係

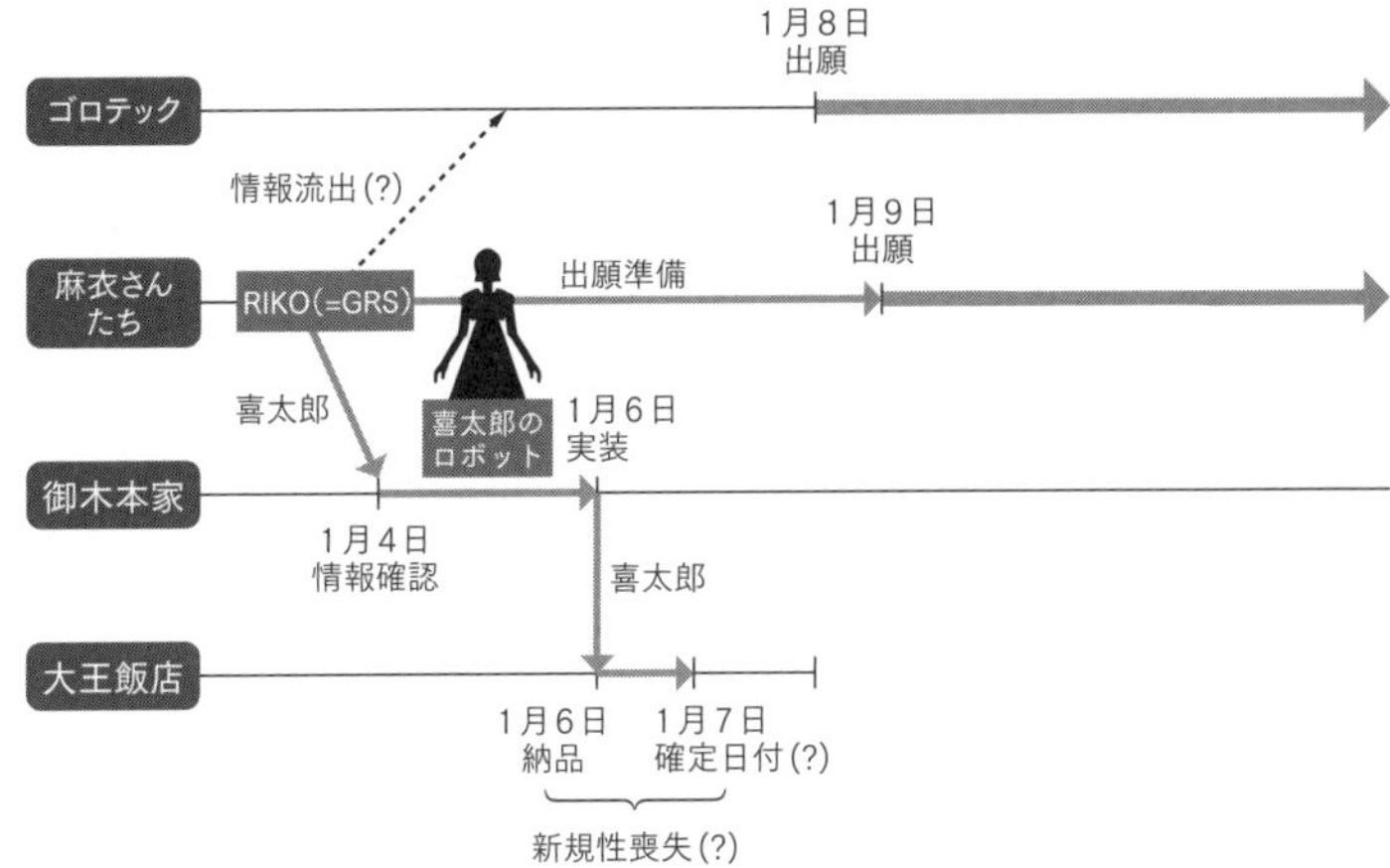

明が複数出願された場合は、もっとも早く出願した者のみに特許が与えられます。二重に特許は付与されないのです（先願主義）。

新規性や進歩性の判断基準は出願した時ですが、出願のどちらが早いかについては日単位で判断されます。そのため、同じ日に複数の特許出願があった場合、午前の出願と午後の出願との扱いに差異はなく、その後、出願人同士で協議する必要がありますす。もしゴロテックと麻衣さんたちの出願が同日であれば、特許庁から協議指令が出されていました。

また、同一の発明であるかどうかは、その「特許請求の範囲」の記載で判断します。ですから、補正の機会を使って、「特許請求の範囲」を先願と異なる内容に変えることができれば、後願として拒絶されることはなくなります。しかしながら、その内容がすでに先願の明細書に書かれている内容であれば、原則として、後願の出願後に先願の公開公報（または特許公報）が発行されることを条件に、その後願は拒絶されます。これは、後願の内容がすでに世の中に対して新たな発明を提供するものではなくなっているからです（拡大された先願の地位）。

なお、他人が完成した発明を盗んで、自分の発明であると称してその他人よりも早く出願しても、「冒認出願」であるとして特許を取ることはできないことになっています。麻衣さんたちは、ＧＲＳ特許が「冒認出願」によるものではないかと疑っていましたが、決定的な証拠はなかなか出てきませんでした。

そんな中、クローズアップされたのが、御木本喜太郎の製作したロボット「サワコ」です。このロボットにはＧＲＳ特許と同一の技術であるＲＩＫＯが搭載されており、ゴロテックのＧＲＳ特許の出願前に大王飯店に向けて販売されていました。

特許を受けるためには、その発明が新しい発明であること（新規性）が必要で、具体的には、①特許出願前に不特定の者に知られた発明、②特許出願前に不特定の者に知られ得る状況で実施された発明、③特許出願前に文献やインターネットで公開された発明、については「新規性」がなく、特許にはできないことになっています。

喜太郎のロボットとの関係では、大王飯店の従業員は「不特定の者」となります。そして、そのロボットが大王飯店で使用されているとき、大王飯店側でＲ－ＫＯの技術内容が記載された電子マニュアルを自由に読み出すことができる状態であったことから、鈴木弁理士はＧＲＳ（＝Ｒ－ＫＯ）が「特許出願前に不特定の者に知られ得る状況で実施された発明」であるとして、その「新規性」を否定できると考えたのです。

なお、本編では触れませんでしたが、麻衣さんたちの出願については、「新規性喪失の例外規定」が適用される可能性があります。というのも、御木本喜太郎はガンラボと秘密保持契約を結んでいながらその管理室に不法に侵入して情報を窃取し、そのことによってＲ－ＫＯの新規性が失われており、麻衣さんたちにとっては、自分たちの「意に反して」公知となったといえるからです（もっとも、ゴロテックのＧＲＳ特許が冒認出願であることを立証できない限り、その存在によって拒絶されてしまうことに変わりはありません）。

ベラリオンの技術をどう保護する？（2）
（著作権による保護）

STEPとRIKOに関する技術の一部は「著作権」で保護される可能性があります。

著作権とは、「著作物」を創作したときに発生する権利です。著作権法では「著作物」を、「思想又は感情を創作的に表現したものであって、文芸、学術、美術又は音楽の範囲に属するもの」と定義しています。そして、具体的な例示として、次ページの表に示すものの挙げられています。

ここで注意すべき点は、そもそも創作的な表現でなければ著作物には該当せず、著作権は発生しないという点です。ですから、単なる事実やデータ、表現に至っていないコンセプトのほか、短い表現やありふれた表現など選択の幅が狭い表現も著作物ではありません。たとえば、短いフレーズや、小説・楽曲・番組・映画のタイトルなどです。

著作権の大きな特徴は、国に登録しなくても自動的に権利が発生する点です（無方式主

著作物の例示

言語の著作物	論文、小説、脚本、詩歌、俳句、講演など
音楽の著作物	楽曲及び楽曲を伴う歌詞
舞踊、無言劇の著作物	日本舞踊、バレエ、ダンスなどの舞踊やパントマイムの振り付け
美術の著作物	絵画、版画、彫刻、漫画、書、舞台装置など（美術工芸品も含む）
建築の著作物	芸術的な建造物（設計図は図形の著作物）
地図、図形の著作物	地図と学術的な図面、図表、模型など
映画の著作物	劇場用映画、テレビドラマ、ネット配信動画、ビデオソフト、ゲームソフト、コマーシャルフィルムなど
写真の著作物	写真、グラビアなど
プログラムの著作物	コンピュータ・プログラム

二次的著作物	上表の著作物（原著作物）を翻訳、編曲、変形、翻案（映画化など）し創作したもの
編集著作物	百科事典、辞書、新聞、雑誌、詩集など
データベースの著作物	編集著作物のうち、コンピュータで検索できるもの

（出典：著作権情報センター ホームページ）

義）。このような仕組みになっているのは、文芸、学術、美術、音楽など「文化」に関するものは、「国によるお墨付き」といった考え方が馴染まないからです。

著作物の中でも「プログラムの著作物」は、一九八五年の法改正で政策的な理由により追加されたものです。ＳＴＥＰとＲＩＫＯを動かすには専用のソフトウェアが必要です。そのソフトウェアについては、アルゴリズムに関する発明が「特許権」で保護される可能性があり、また、それと同時に、そのコンピュータ・プログラムが「著作権」で保護される可能性があります。

著作者人格権と著作権(財産権)

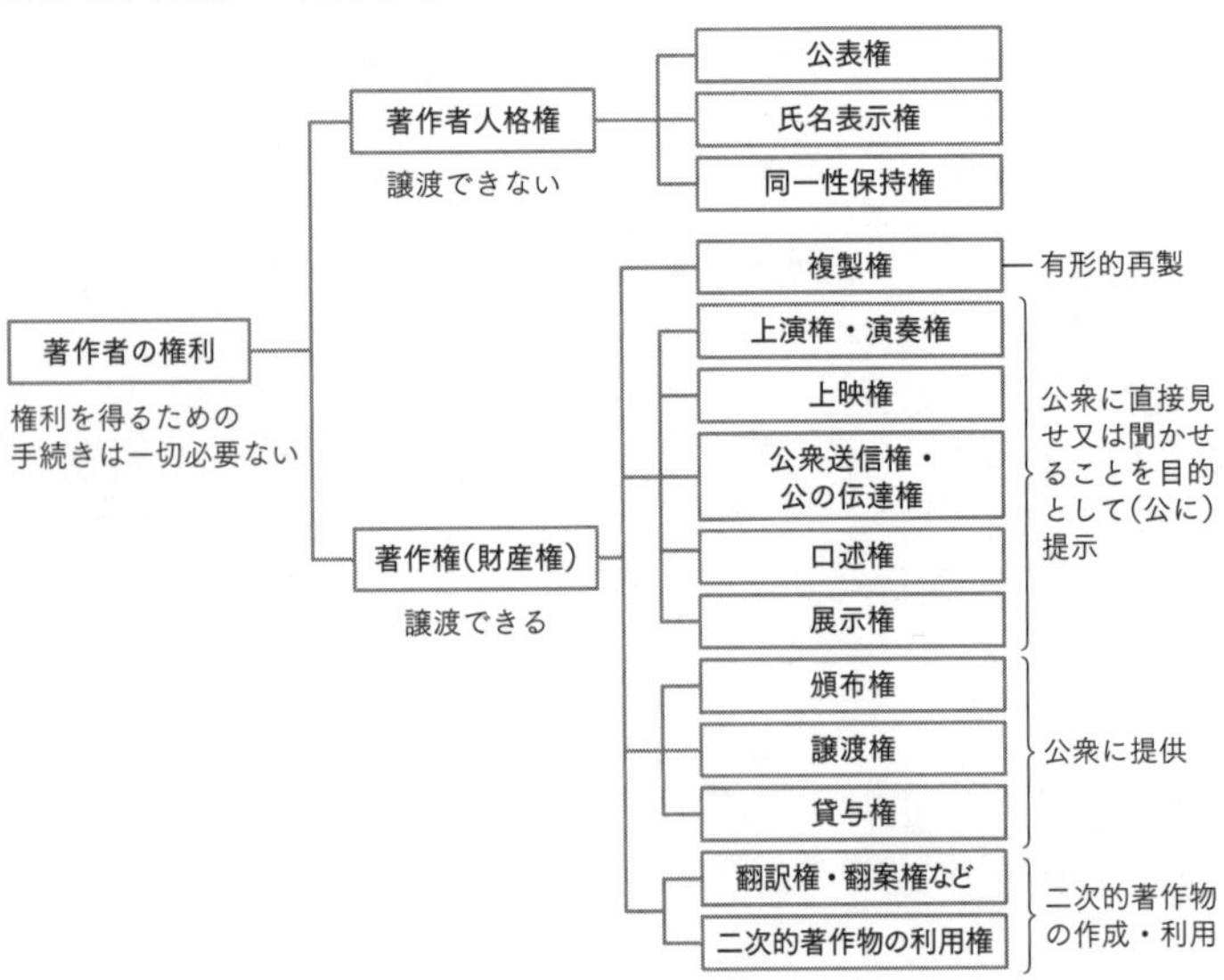

著作物を創作した者を「著作者」といい、「著作者人格権」(著作者が精神的に傷つけられない権利)と、「著作権(財産権)」(著作物の利用に関する経済的な権利)を持ちます。著作者人格権は他人に譲渡できない著作者だけの権利です。

著作権(財産権)は他人に譲渡可能で、原則として著作者の「死後七十年」まで権利が存続します。「死後五十年」と聞いた方もおられるかもしれませんが、二〇一八年十二月三十日、「環太平洋パートナーシップ協定」(TPP)がわが国においても効力を生じて以降、保護期間はそれまでの五十年から七十年に延びています（すでに保護期間が満了しているものについては、その権利は復活しません）。

　前のページの図からわかるように、著作権は様々な権利の束となっています（これを支分権といいます）。原則として、著作権のある他人のプログラムを無断で複製すると、「複製権」の侵害に該当し、また、そのプログラムを無断でインターネット上に公開すると「公衆送信権」の侵害となります。そして、著作権者は差止請求や損害賠償請求などをすることができます。

　ただし、著作権は表現を保護する権利なので、プログラムをフローチャートのところから全面的に書き換えるなどして、表現としてまったく別の物にしてしまえば、著作権侵害には該当しません。

コラム 8

ベラリオンの技術をどう保護する？（3）
（ノウハウによる保護）

ベラリオンに関係する知的財産を次のページの図にまとめてみました。本来は、もっとたくさんの知的財産が集積されているのですが、ここではわかりやすさを重視し、一部のものだけをピックアップしています。

まず、市場に出す際の商品名を商標登録することで、その商品名は商標権で保護されます（コラム2）。また、筐体のデザインについては、意匠登録することにより意匠権で保護されます（コラム3）。そして、搭載されている技術であるＳＴＥＰとＲＩＫＯについては、その技術的思想の創作である発明が特許権の保護対象となり（コラム4）、さらに、そのコンピュータ・プログラムが著作物である場合、それが著作権の保護対象となります（コラム7）。

さらに、この図にはそれに加えて「ノウハウ」を記しました。

ベラリオンに関係する知的財産

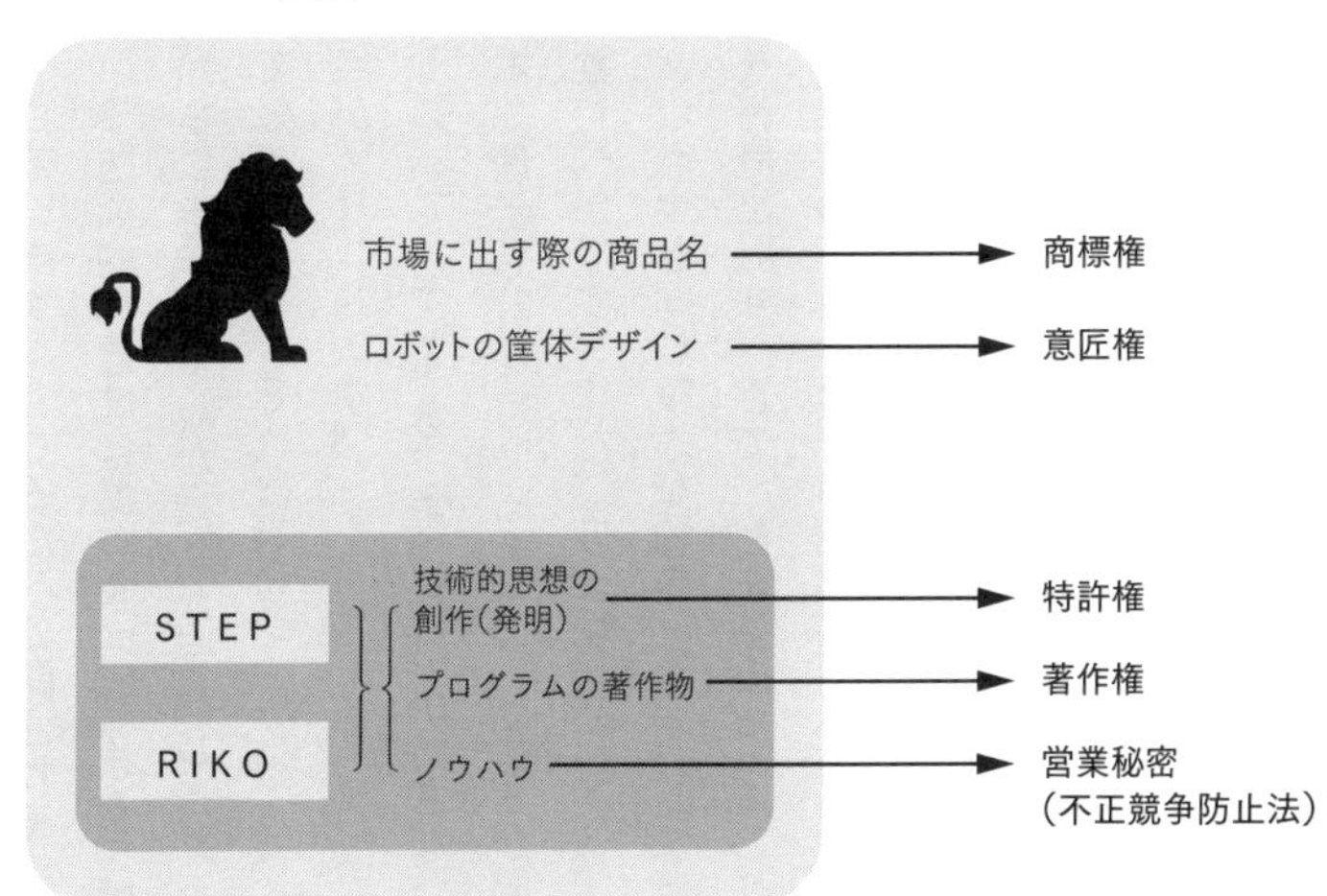

本編でも次郎が度々口にしていましたが、「ノウハウ」とは何でしょうか？　スポーツなどですと、「秘密にしている練習方法」のような語感がありますね。このようにノウハウという言葉には様々な意味合いがありますが、知的財産のひとつと解釈する立場では、「秘密として管理されている有用な技術情報・営業情報」のことを指します。

有名な例として、六十三ページで鈴木弁理士が挙げている「コカ・コーラの原液の配合方法」がよく取り上げられます。

特許出願をすると、原則として出願日から一年六カ月経過後に出願内容が「出願公開」によって公開されてしまいますから、結果的に特許権が取得できない場合は、世間に情報提供をしただけで終わってしまいます（もちろん、公開されることによって他人に同じ内容の特許を取らせないという防衛的な意味はあります）。また、特許権が取得できた場合でも、原則として出願日から二十年までしか権利が存続しませんから、その後は誰でも自由に使える技術となってしまいます。それに対して、ノウハウは秘密が破られない限り永久に保護できるという点がメリットです。

そう聞いて、「じゃあ、特許なんか出さない方がよいのでは？」と考えてはいけません。鈴木弁理士も言っているように、秘匿が困難な技術については、特許権を確保する方向で動くべきです。また、仮に秘匿可能な場合でも、流出リスクは常につきまといますし、そのノウハウと同じ技術を独自に発明した他人が特許を取ってしまうリスクは残ります。

何を特許出願すべきで、何をノウハウにしておくべきかは、なかなか難しい問題であり、じつのところ、判断はそう簡単ではありません。それを前提に、どちらを選択した方が有利となるか、様々な事情を勘案しながらベストの選択をすることが大切です。

なお、ノウハウは、秘密管理性、有用性、非公知性をすべて満たしたものであれば、コラム1の表に出てきた「不正競争防止法」という法律により「営業秘密」として保護を受けることができます。不正競争防止法は、特に権利を与えることなく、「不正競争行為」として定められている一定の行為を直接規制します。具体的には、営業秘密などを不正な手段で取得・使用・開示などする行為を不正競争行為として禁じています。そして、他人の不正競争行為によって営業上の利益を侵害された者は、差止請求や損害賠償請求などをすることができるようになっているのです。

参考文献

『工業所有権法逐条解説（第19版）』特許庁編（発明推進協会、2012年）
『特許法概説（第13版）』吉藤幸朔、熊谷健一（有斐閣、1998年）
『著作権法逐条講義　六訂新版』加戸守行（公益財団法人著作権情報センター、2013年）
『楽しく学べる「知財」入門』稲穂健市（講談社現代新書、2017年）
『ヘルシオ ホットクックレシピ』シャープ(株) https://cook-healsio.jp/hotcook/HW24C

ストーリーで知的財産権について学べる書籍の紹介

【漫画】
『ストーリー漫画でわかる ビジネスツールとしての知的財産』
大樹七海（著）、杉光一成（監修）、アップロード

ＡＩベンチャー経営を題材に、楽しみながらビジネスツールとしての知的財産について学べる好著。ストーリーに惹き込まれ、作者の熱意とこだわりも伝わってくる作品です。

【小説】
『それってパクリじゃないですか？～新米知的財産部員のお仕事～』
奥乃桜子（著）、集英社オレンジ文庫

中堅飲料メーカーを舞台に、知的財産部の実務を垣間見ることができるお仕事小説。様々な知的財産もバランス良く登場し、専門家でも楽しめる内容です。

あとがき

本作は、「知的財産制度が学べる初のエンターテインメント小説」というコンセプトで書き始めたものです。これまでもストーリー形式の作品に関わったことがなかったわけではありませんが、「小説」というジャンルに挑戦するのは今回が初めてです。

この試みは、私が弁理士を目指すきっかけともなった故・松倉秀実弁理士から、二〇一一年に小説執筆を勧められたことに始まります。これまでも知的財産権をテーマにした小説はありましたが、ビジネス上の激しい駆け引きの描写に重点を置いたものが多い印象がありました。そこで、知的財産制度について詳しく学ぶという視点で深入りできる作品を世に出すという目標を設定しました。

本作は、エンターテインメント及びミステリーとしてのワクワク感を味わっていただきながら、知的財産権の取得、活用、侵害対応といった、特にビジネスシーンで役立つ一連の知識を自然に学べるようにすることを強く意識しています。作品世界の設定にあたっては、今後の知財立国を支える世代に興味を持っていただこうと、メインキャラクターを二十代前半の若い方々にしました。また、実際に起こり得る知財ビジネスの交渉シーンを登場させることで、一般のビジネスパーソンの方々でも楽しむことができる作品を目指しました。
とはいいながらも、一般の方々にとって身近とはいえない知的財産権を、どのような形でエンターテインメントとして成立させるのかについては試行錯誤が続きました。また、エンターテインメント性を維持しながら、技術面、法律面で無理が生じないような設定にすることの難しさを強く感じました。執筆は難航し、長期間中断することが何度もありました。途中で諦（あきら）めそうになったことも一度や二度ではありませんが、何とか世に問う形に仕上げることができたのは幸いでした。

本作の完成に向けて有益なアドバイスをくださった、加島広基弁理士、荒木一秀弁理士、小松悠有子弁理士、塚原憲一弁理士、中島泰子弁理士、大和田昭彦弁理士、黒崎文枝弁理士、野田章史弁理士、中村祥二弁理士、志水克大さん、大泉俊雄さん、小澤一恵さん、城田衣さん、ありがとうございました。

また、今回の出版を勧めてくださり、その後も編集をはじめ完成に向けてご尽力いただいた楽工社の日向泰洋さん、すてきな装丁にしてくださった鈴木久美さん、魅力的なイラストを描いてくださった456さん、ありがとうございます。また、本作の刊行に関わってくださったすべての皆さま、これまで私を支えてくださった友人・知人の皆さま、そして、この本を手に取ってくださった読者の皆さまに心より感謝申し上げます。

二〇二〇年六月十四日

稲穂健市

稲穂健市(いなほ・けんいち)

弁理士、東北大学研究推進・支援機構特任准教授、米国公認会計士(デラウェア州 Certificate)、科学技術ジャーナリスト。横浜国立大学大学院工学研究科博士前期課程修了後、大手電気機器メーカーの知的財産部門、米国研究開発拠点、新規事業プロジェクトなどで活躍。執筆・講演・メディア出演等を通じて、知的財産権を楽しくわかりやすく伝える啓発活動を 20 年以上実践している。主な著作に、『楽しく学べる「知財」入門』(講談社現代新書)、『こうして知財は炎上する』(NHK出版新書)などがある。

＊この物語はフィクションです。実在の人物・団体等とは一切関係ありません。

装幀　鈴木久美
装画　456
校正　聚珍社
DTP　菊地和幸

ロボジョ!

杉本麻衣のパテント・ウォーズ

2020年 8 月15日　第1刷

著者　稲穂 健市

発行所　株式会社　楽工社

〒190-0011　東京都立川市高松町3-13-22春城ビル2F

電話 042-521-6803

www.rakkousha.co.jp

印刷・製本　大日本印刷株式会社

978-4-903063-94-2

好評既刊

続・料理の科学

素朴な疑問に再び答えます

ピッツバーグ大学名誉化学教授
ロバート・ウォルク 著

定価（本体①巻2000円+税、②巻1800円+税）

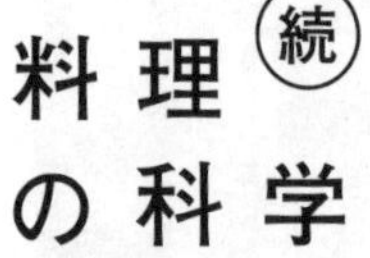

続
料理の科学
素朴な疑問に再び答えます
Q スープストックを作るとき お湯でなく水から煮るのはなぜ？
Q 「乳化」の仕組みを根本的に知りたい
Q 生ハーブの代わりに乾燥ハーブを使う場合 量の目安は？
Q チョコレートの結晶化温度とは何？
②
栄養学の権威、マリオン・ネッスル博士も絶賛！
面白い ためになる 定番入門書！
ピッツバーグ大学名誉化学教授
ロバート・ウォルク
ハーパー保子 訳 楽工社

大好評ロングセラー、待望の続編！

「スープストックを作るとき、お湯でなく水から煮るのはなぜ？」

「玉ねぎを泣かずに切る究極の方法は？」

一般読者もプロの料理人も、ノーベル賞受賞者も賞賛する
「料理のサイエンス」定番入門書の第2弾！

好評既刊

歴史を変えた 6つの飲物

ビール、ワイン、蒸留酒、コーヒー、茶、コーラが語る もうひとつの世界史

トム・スタンデージ著

定価（本体2700円＋税）

17カ国語で翻訳版刊行。読み出したら止まらない、世界的ベストセラー!

エジプトのピラミッド、ギリシャ哲学、ローマ帝国、アメリカ独立、フランス革命……。

歴史に残る文化・大事件の影には、つねに“飲物”の存在があった!

6つの飲料を主人公として描かれる、人と飲物の1万年史。

「こんなにも面白くて、しかも古代から現代まで、人類史を短時間で集中的に
説得力をもって教えてくれる本は、そうそうない」――ロサンゼルス・タイムズ紙